S0-BXV-998

ふしぎ遊戯

WATASE YUU ANIMATION WORLD

イラスト集 PART 2

「娘娘」アニメ色指定用シート

FUSHIGI YUGI

ふしぎ遊戯

渡瀬悠宇

自分のかいたまんががアニメになるなんて夢のようで、今でも信じられません。
その夢がさめないうちにと、アニメお気に入りのシーンとイラスト集未収録の絵をコレクションしてみました。
読者のみなさんのお気に召したシーンは、このなかにありますか？　もし、全部がそうなら、ワタセはこのうえなく幸せです。
この本で「ふしぎ遊戯」のアニメの世界をたのしんでくださいね。

CONTENTS

BEST SCENE——Watase Yuu Selection

渡瀬悠宇が選ぶアニメ・ベストシーン〈作者コメント付き〉

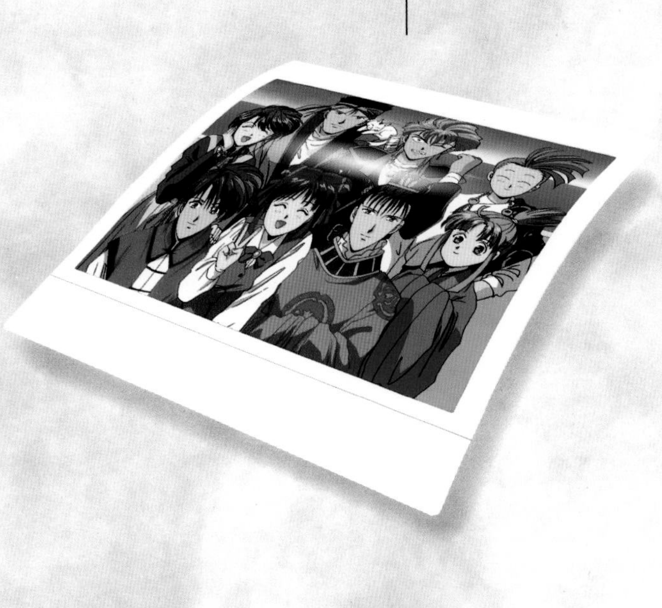

鬼宿
TAMAHOME

少女まんがに出てくる男の子って、だいたい女の子を上から見おろしているタイプが多いんです。鬼宿は、そんな中では異色なキャラクターじゃないかと思う。美朱といっしょになって悩んだり、逃げ出したり、情けない部分が大いにある。だからこそ、美朱といっしょになって成長していけるキャラクターになれたんじゃないかなと思います。もっとも、七星士として使命感に目醒めてシリアスになっていったぶん、ギャグが少なくなったのは残念な感じがしますね。

鬼宿《たまほめ》1人《ひとり》で
大丈夫《だいじょうぶ》かな
見《み》に行《い》った
ほうが……
なんだ
まだ寝《ね》てンのかよ!

T.U
パワーアップ

……そいつで……
…殺《ころ》したのか…

翼宿

TASUKI

この子は、最初はクールなやつだったはずなのに、どんどん関西
人の地が（それはワタセの地だって！←一人ツッコミ）出てきた。
血が熱くて、女にやさしい。こんな男になりたいな、という感じで
すね（え、なりたいな？←上に同じ）。イヤリングやネックレスして、
お洒落なヤンキーの兄ちゃんだけど、実際にいたらきっとチンピラ
だろうなあ。アニメの烈火神焰の動きは、すごいなあといつも感心
して観ています。オレンジ色の髪も、個人的にはすごく気に入って
るんですよ。

…ハリセンは返《かえ》してもろたで
お前はもう終わりや!!
がーん

違うあたし嫁なんかじゃ
こいつはもろとくで!!返して欲しいんやったら頭の座をかけてオレと勝負せい!!
…ただしこの女は今夜一晩たっぷりかわいがらせてもらうで!!
な…
くっくっくっ
なんやて!!
おのれ!!美朱を返せ!!

この娘《むすめ》は
朱雀《すざく》の巫女《みこ》だ!!
指《ゆび》1本《ぽん》でも触《ふ》れた
罪《つみ》は死《し》に値《あたい》する!!
ザッ
ハッ
ピタ

星宿
HOTOHORI

「朱雀の巫女」
やがて現れる
異界の娘…
その娘なら
この寂しさから
救ってくれるかも
しれない
愛して
くれるかもしれない
きっときっと…
…さよなら…

美朱と出会うまでは、星宿はきっとさみしかったんだろうなと思います。皇帝ということもあって、感情を表に出さない静かな人だったんでしょうね。原作の最後のほうで「それは楽しそうにしてらした」という家臣のセリフがあるんです(13巻104頁)が、美朱や七星士たちと行動しているうちに、人間的な熱い部分が出てきて、皇帝という人形から、人間になっていったのでしょう。ナルシーなところは、この人にとっては欠点でもあり長所でもあるんです。山賊の砦で、女装して「いざ、まいるわよ柳宿」というシーンを見ると、ほんとうは、うれしがってるんじゃないかと思えますよね。

柳宿 NURIKO

柳宿は、華やかなキャラクターがほしくて登場させたんですが、アニメになって、衣装に色がついてさらに華やかになりました。衣装の配色もきれいで、数もあんなにたくさん出るとは思いませんでしたね。男でも女でもない、柳宿は柳宿。とても深みのあるキャラですが、アニメでそのあたりをうまく表現していただいて、とても感謝しています。

BEST SCENE—Watase Yuu Selection〈Character〉

渡瀬悠宇が選ぶアニメ・ベストシーン〈キャラクター篇〉

井宿

CHICHIRI

井宿は、親友を手にかけたという過去からきているのかもしれないけれど、性格的に傷つけ合うのがきらいな平和主義者です。術を使って闘えば、ほんとうはすごく強いと思う。心宿に匹敵するくらいの力はもっていると思いますね。井宿といえば、まんがの初登場の回で、美朱たちの前から消えるとき（コミックス3巻8頁）のやりかたで、ちょっと悩みました。考えたあげく、笠を使うことを思いついたとき、同時に、笠から手だけ出して敵を攻撃するシーン（3巻30頁）が瞬間的に頭にうかんだのをおぼえています。

軫宿

MITSUKAKE

頼れる男の人で、「ダンナにしたらいいタイプ」といわれてます(笑)。愛する人を失った経験があるから、人の死をまっすぐに受けとめることの大事さを知っている。だから、柳宿の死を美朱に受けとめさせてやるために、語りかけることが出来たんだと思います。

BEST SCENE—Watase Yuu Selection〈Character〉

渡瀬悠宇が選ぶアニメ・ベストシーン〈キャラクター篇〉

張宿は、足の甲の字が消えてボーッとしている時の自分がとても大事だったんだと思います。その状態の自分が強くなりたいと、いつも考えてる。だから、翼宿や鬼宿みたいな、強い人にあこがれていたんでしょうね。そして、最後には、勇気あふれる決断をして…。「張宿、強くなったね」と、声をかけてあげたい気持ちです。

張宿

CHIRIKO

美朱 MIAKA

美朱という子は、甘えん坊だけど意志は強いんです。本の中に入ってから、それが前面に出て来て、自分から行動を起こしている。ほっとくと、どこ行っちゃうかわからない。だから、七星士がかまってあげざるを得ないんです。「美朱ばっかりモテて、ズルイ」という声もあるけど、モテるというのとは少し違うんじゃないかな。現実の世界では、美朱より唯のほうが行動的だったんだと思います。それが、本の中で逆転しちゃった感じですね。

唯 YUI

　唯は、現実の世界では、頭がよくてハキハキしてオトナたちのうけもいい優等生だけど、どこか我慢してた子だと思います。それが、本の中の世界で爆発しちゃった。心の暗黒面が解放されたんですね。美朱には暗い部分はないけど、唯は、ほんとはさびしがり屋だったりするから、裏切られたと思いこんで美朱たちにひどいことをする。でも、それは、美朱に対する愛情というか、友情というか……純粋な想いから出ている。その感情は、きっと鬼宿よりも強かったんだと思います。

NAKAGO 心宿

心宿は、唯のなかの暗黒面が形になった、そんなキャラクターです。だれに対しても愛情をもてない、孤独でさびしい人だったんです。なぜ、そうなったかというのは連載中、原作者のわたししか知らない事だったから、うんと悪いことをさせて最後までやさしさを微塵も見せないようにしようと思って描いてました。それでも、手中におちた美朱を手にかけなかった（コミックス９巻143頁）のは、ほんとは愛情に飢えている心宿の心のどこかに、ゆれるものがあったせいでしょうね（読者様そ一なのだよ）。

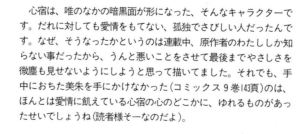

できれば
このフチ部分
テキトーにもようが入ってると
嬉しいです
（もしかしたら
上半身に
比べて下が
寂しくなるような
気がしたので）
※バック処理、
色はお任せします。
（鬼宿と心宿は、もしも
単色になさるのであれば
額の文字だけは、赤、青に
光らせて頂けると…）
個人的には全員ノーマルカラーで
見たいですが、そこは全体の
バランスの問題ですので…
美朱のポーズも若干変わっても良いです
心宿は
いつもの衣装

これは渡瀬先生が、ふしぎ遊戯のアニメの制作を担当しているスタジオぴえろにセル画を依頼した時のラフスケッチです。

INTERMISSION

Costume Collection

美朱

ねまき
(15〜16話)
美朱のリュック
(8話)
ねまき
(4話)
巫女の衣装
(23〜25話)
パジャマ
(13話)
FUNKY
FLOWER COMICS
美朱のノート
(13話)
制服
(基本設定)
スカート・ふだん着
(25話)
外出着
(25〜26話)
キュロット・ふだん着
(21話)
ねまき＝制服のブラウス
(3話)
スカート・おしゃれ用
(17〜18話)

幻の狼

原作でも自分で気に入っている回なので、どうなるかとドキドキして観ました。アニメのほうがもっとギャグが多くなってて、面白かったですね。星宿にせまる山賊というのは笑えました。連載時は、チャーリー浜さんはじめ吉本興業が東京に進出してきたころだったんで、いろいろ関西ギャグを入れてます。もう、２年くらい前になるのかなあ。

放映14話「砦の狼」

ナルシス

星宿がナルシストなのは、皇帝だからというのもあるでしょうね。根本的にきれいなものが好きで、ある日、自分がそこらの女性よりはきれいだと気づいたんでしょう。こんなヒネてない皇帝の国って、住んでみたいな。

放映17話「めぐり逢いの音」

BEST SCENE ふしぎ遊戯 ●第17話●

BEST SCENE ふしぎ遊戯 ●第17話●

忠栄

「よっしゃあ、忠栄!!」て感じですね。このカットは、ビデオを5～6回巻きもどして観ました。美形に育っただろうなあ。鬼宿とふたりそろったところが見たかった。(だれが殺したあっ！)

放映17話「めぐり逢いの音」

BEST SCENE ふしぎ遊戯 ●第17話●

偽りの笛

亢宿は、敵だけど朱雀七星士のほうに心ひかれて悩んでる…。原作では、そういった迷っている部分は描かなかったんですけど、この後の回(放映22話「二度と離れない」)で、悲し気に笛をふくシーンが入ってて、亢宿の心の葛藤が描かれていました。もの静かで、悩める優等生といった雰囲気がこの子の人気の秘密かな。　放映17話「めぐり逢いの音」

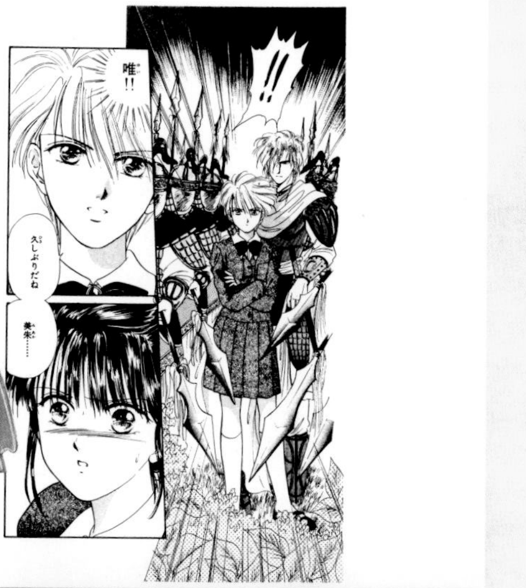

蠱毒《こどく》

個人的には、蠱毒であやつられた鬼宿は大好きなんです。あの冷たさがいい。緑川光さんの声で「死にな！」というセリフを聴いて、うちのアシさんなんか「死なせていただきます」ってこたえてました(笑)。アニメでは、このとき鬼宿の目の色と髪の毛の色が変わってるんです。すごい演出だなあと感心させられました。

放映20話「とどかぬ願い」

熱情の狼

原作よりアニメのほうが翼宿いじめがパワーアップしてて、よかったですよお(笑)。でも、原作ほどボロボロにしなかったのがポイントですね。本橋(秀之)さん(この回の作画監督)さすがにきれいに見せてるなあ。この回で、翼宿は男を上げましたね。　放映20話「とどかぬ願い」

孤独の星

翼宿と井宿は、いつもこんなことやってますね。表面上のコンビは、鬼宿と翼宿なんですけどね。こういうのがあるから、シリアスなシーンがあってもすくわれるんですよ。

放映23話「謀略の予兆」

美朱は、おバカじゃないんです。でも、優等生じゃないから、自分の興味のない事に関してはぜんぜんダメ。こんな子って、けっこういるんじゃないかな。　放映23話「謀略の予兆」

星宿が美朱をギュッと抱きしめるシーンは、とてもせつなくて、ジーンときましたね。まんがではセリフと表情ぐらいでしかキャラの心情の表現ができませんから、動きで表現できるアニメは一面うらやましいと思いました。星宿の「なさけない男にさせてくれるか」というセリフがありますが、こういうのは、なさけないとはいいませんよね。

放映23話「謀略の予兆」

このシーン、鬼宿にはいやらしい気持ちはいっさいなくて、純粋に美朱がきれいだから見とれているんです。それにしても、鬼宿はしょっちゅうこんな場面に出くわすラッキー・ボーイですね。そのわりには、そこから先に行けないね君は(笑)。

放映23話「謀略の予兆」

朱雀招喚

連載で描いているとき、原稿を描き上げた後もここは「呪文」と書いてあるだけで、ネームが決まってなかったんです。担当さんからさいそくされて、ギリギリで書いて入れたのをおぼえています。資料を参考にして昔の言葉みたいにしていったのですが、最後にほんとうの朱雀を招喚するときのことを考えてちゃんと作らなければいけないと思ったので、すごく時間がかかったんです。

放映23話「謀略の予兆」

凍った心

アニメのほうが原作より、角宿と亢宿の心の絆が強く描かれています。アニメの角宿は、返り血をいっぱいあびていて、ゾッとするほど怖かった。角宿がやったことは決して許せることじゃないけど、わかってほしいと思いますね。　放映27話「誓いの墓標」

烈火の思い

鬼宿の力が発現するこのシーンは、すごい！　と驚きました。これは少年まんが的な発想ですね。さすがに、こういう表現は思いつきませんでした。演出と動きの迫力で、鬼宿の怒りが胸にせまってきて観ていて圧倒されました。このアニメシリーズのなかでも、この回は屈指の出来だと思いますね。このときの鬼宿は、ほんとうに恐ろしかった。

放映27話「誓いの墓標」

別れ

この回を見て、アニメの表現はとてもリアルだなと思いました。鬼宿の腕のなかで柳宿が息をひきとって、体が急に重くなるという表現には、ハッとしました。柳宿の死を直感して美朱がふりむくときも、目を動かさないまま顔ごとゆっくり振り向く。キャラクターの感情を追って、演技がこまかいから、とてもリアルに感じました。「なんだ康林《こうりん》、いつからいたの」という柳宿のセリフは原作にありませんが、ここもジーンときました。柳宿が美朱とデートする幻想のシーンは、亀垣一監督におたずねしたら「柳宿へのプレゼント」だそうです。この回は、みんなが柳宿のことを想って作ってくれた回だなと実感しました。ほんとうに、ありがとうございました。

放映33話「柳宿 永遠の別離」

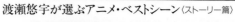

柳宿

上:キャラクターズ・ヴォーカル・
コレクション5「柳宿」裏面(アポロン)
右:右上色指定用シート

上:キャラクターズ・ヴォーカル
・コレクション5「柳宿」表面(アポロン)
左:左上色指定用シート

ふしぎ遊戯

ANIMATION ART

I
CHARACTERS

美朱

左:キャラクターズ・ヴォーカル・コレクション1「美朱」表面　右:同裏面(アポロン)

唯

左:キャラクターズ・ヴォーカル・コレクション4「唯」裏面　右:同表面(アポロン)

鬼宿

左:キャラクターズ・ヴォーカル・コレクション2「鬼宿」裏面　右:同表面(アポロン)

星宿

左:キャラクターズ・ヴォーカル・コレクション3「星宿」表面　右:同裏面(アポロン)

軫宿

左:キャラクターズ・ヴォーカル・コレクション8「軫宿」裏面　右:同表面(アポロン)

翼宿

左:キャラクターズ・ヴォーカル・コレクション7「翼宿」表面　右:同裏面(アポロン)

張宿

左:キャラクターズ・ヴォーカル・コレクション9「張宿」表面　右:同裏面(アポロン)

井宿

左:キャラクターズ・ヴォーカル・コレクション6「井宿」裏面　右:同表面(アポロン)

INTERMISSION

Costume Collection

鬼宿

倶東国での服
（19話）

（27話）

（23話〜25話）

基本設定の衣装

ねまき
（4話）

（23〜25話）

星宿

Costume Collection

星宿の神剣

帯剣した星宿
（21〜22話）

（2話）

ねまき
（2話）

ガウン姿
（12〜13話）

アフレコ・レポート
柳宿が逝った日に…

After Recording
Report 1995.11/16

かきおろし ライブまんが

連載第五〇一二回(嘘)
亜《あ》布《ぶ》麗《れ》虎《こ》見《けん》学《がく》漫《まん》画《ぐあ》
画《が》・樹《じゆ》根《ね》美《び》絵《えー》部《ぶ》 山《や》田《まだ》 3歳《さい》
(大嘘《おおうそ》)
へのへのもへじ
某11月某16日(言っとるやんけ)整音スタジオに乱入…もとい潜入
13巻のコピー使いまわし(笑)
んもードキドキ♥…と思ったら建物の前に知らない人々がいた
この方々は俗にいう「追っかけ」なのだ！
なんと声優さん方がスタジオ入りする時あと終わった時もああして待っているのだ！
なんだよー あいつはよー
ファン
んで何をするかというとアイサツするんだそうだ
感心しながら地下に降りてくとすでに入っている声優さん達の明るい笑い声が…(ナゼ笑っていたのかその謎は後《のち》に解明される!!)
ぶはははははは
いちいちビビってせんの
まだテストということでどないしたらえーねんとばかり待ってるワタセ
今回の本に使うセルの写真を見ている
あー この絵いいっスね

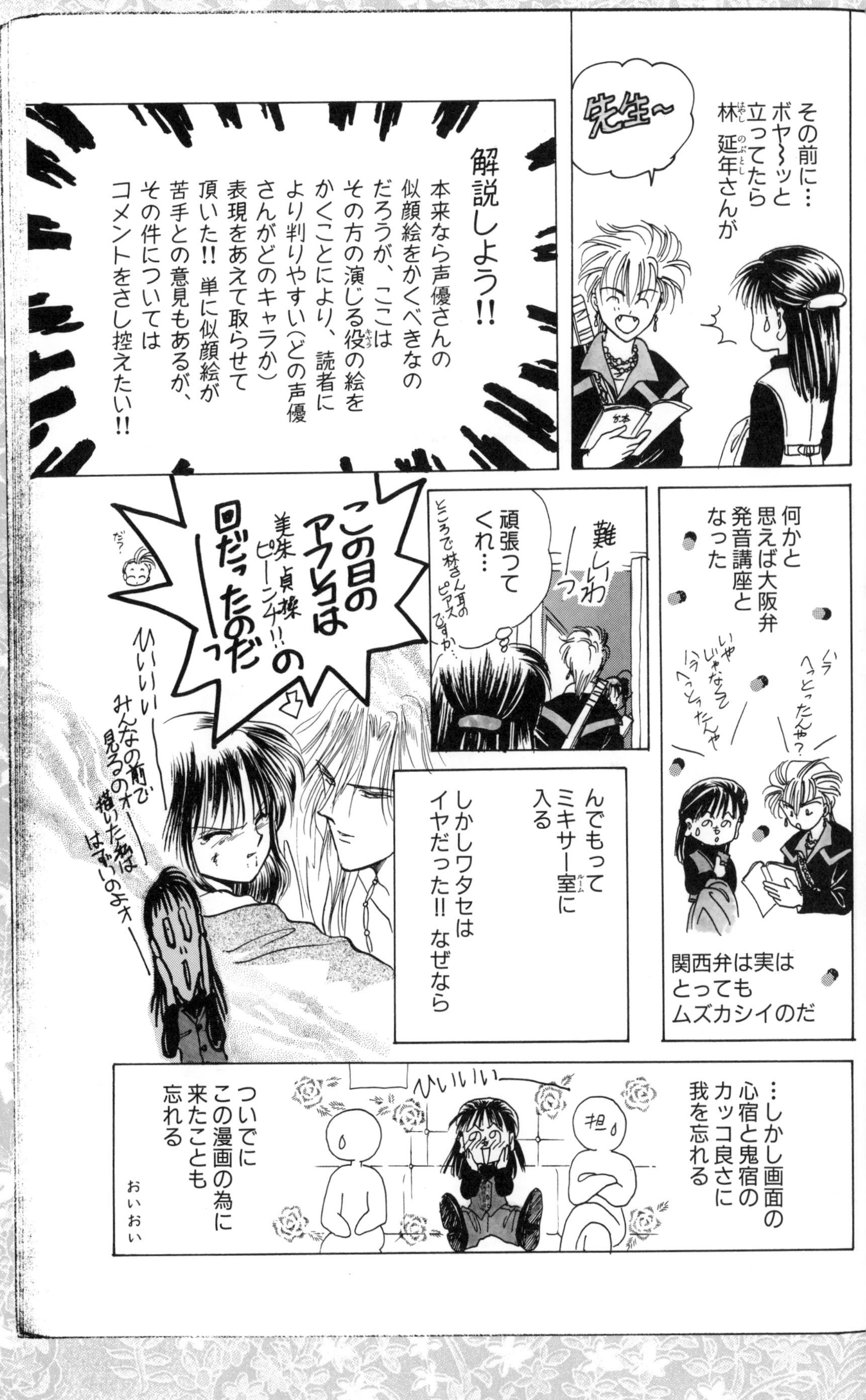
その前に…
ボヤ〜ッと
立ってたら
林《はやし》 延年《のぶとし》さんが
先生〜
解説しよう!!
本来なら声優さんの
似顔絵をかくべきなの
だろうが、ここは
その方の演じる役《キャラ》の絵を
かくことにより、読者に
より判りやすい(どの声優
さんがどのキャラか)
表現をあえて取らせて
頂いた!! 単に似顔絵が
苦手との意見もあるが、
その件についてては
コメントをさし控えたい!!
何かと
思えば大阪弁
発音講座と
なった
ハラ
へっとったんや?
いや
じゃなくて
ハラ
へっとったんや
関西弁は実は
とっても
ムズカシイのだ
難しいわ
っ
頑張って
くれ…
ところで林さん耳の
ピアス
どすか…
んでもって
ミキサー室《ルーム》に
入る
しかしワタセは
イヤだった!! なぜなら
この日の
アフレコは
美朱貞操
ピーンチ!!の
回だったのだっ
だっ?
ひぃぃぃー
みんなの前で
見るのオー
描いた私は
はずいのよオー
…しかし画面の
心宿と鬼宿の
カッコ良さに
我を忘れる
ひぃぃぃ
担
ついでに
この漫画の為に
来たことも
忘れる
おいおい

亜布麗虎見学漫画

んでもって
テストは
あるシーンに
さしかかった
古澤さん
鬼宿が心宿に
初めてキス気を
飛ばす前のセリフ
「美朱に何をした!!」
ところが緑川《みどりかわ》さんは
続けてボソッと
「ナニをした」
「何をした」…
「ナニをした」!?
おお
間をおいて気付くバカ
これぞテスト中
ナマの現場の
醍醐味!!
TVでは決して
聴けない
オトナのギャグ!!
イミの判らぬ
お子は御両親に
聞かないように!!
いやあ
してねーよ
こんな態度
あれ?描いたらマズかったかな 緑川しゃん
そーいえば
古澤《ふるさわ》 徹《とおる》さんは…
わたしだ
発音が
関西弁ぽくなって
トチったら
皆に
心宿オラ〜っ
心宿〜何
やってンだよ〜っ
ちょっと
台本めくる音が
入ったりとかして
な〜か〜ご〜っ
気ィつけろよ〜っ
古澤さんの
台本だけ作りが
違うのかな
ついでに
川上《かわかみ》とも子《こ》
さんも
張宿のせいで
やり直し
だよ〜
張宿〜1人だけ
かわいくて許せない

みんな笑っててマジではないのだが…しかしいつもこんなにNGを責めるのだろうか!?
愛のムチかそれともただのムチか
しかし張宿らほかはともかく心宿のパターンはどこかで…
謎を残しつつ冬馬《とうま》由美《ゆみ》さんのネコ「たま」の演技にウケる
魚食べてる時の「うまい」のセリフ本番でも欲しかった〜
あたし達の声同じでーす
ところで実はこのアフレコ時柳宿が死ぬ回の放映日だったのだ!(私は前日見た)
あ〜柳宿の死が全国認知だ〜
6時15分頃用を足しにいったんミキサー室を出ると…
泣かないのよ美朱…
設置されているTVで林 延年さんが1人で本放送を見ていた
じー
翼宿の出番がなかったのだ。
ドーン
ガーン
柳宿が死んだ時のショック効果音を聞いて一言。
トイレどうしたねん
画面に翼宿が出てきて私は妙な気分になった
死んでもうてどないすんねんーっ
フッ
でもナゼ見て鼻で笑ったのだろうか林さん
翼宿と翼宿…
と思ったら三木《みき》さんが出てきた
お兄ちゃんだ

亜布麗虎見学漫画

せっかくエンディングのええとこに速報テロップが!!(泣)
無口な軫宿…身体は出てるのに…
そこから画面見ての2人の会話となる
翼宿目のフチ黒いよ
化粧してるんだよ
(翼宿)廃人のようだな
あっ テロップ入った!!
こりゃ苦情バンバン来るな
石井さん元気かなー
あ! 奎介泣いてるよ!!
あっホントだ! しゃべらせて～
しかし私もよく憶えてるな～ 本人達忘れてると思うが
やっとトイレに行くことを思い出したので向かったら
先生トイレで泣くんスかー
翼宿
役に合ってますね
しかしこんなのをナマで見れるのも聞けるのも作者の石鹼!! いや特権!!
と、トイレで思うか
それにしても京田《きょうだ》先生(先生と呼ばせて下さひ!!)はさすが 予告編を数秒内で一発で決めてしまうのだ(一話目アフレコの時もそうだった!)
語りべ
しかし…キャラが多いからスタジオ内は人でいっぱい でもこの後どんどん減ってくのね
ひと足お先に～
悲しい～
惜しいのは出番がない星宿(子安《こやす》 武人《たけと》さん)もう死んでしまった柳宿(坂本《さかもと》 千夏《ちか》さん)この方々がいたらもっとおもしろいことになったろうに
おめーがワリィんだよ
あうっ
トイレで色々考えてる間にアフレコは終了(あれ?)そんでもって最後に写真の撮影とあいなりました
先生! こっち!!
誰
ガーン
ワタセは写真が大キライ

亜布麗虎見学漫画

とりあえず笑わなきゃねーとひきつりながら立ってるとまた!!
心宿ォ〜
また言われてる…
そのセリフは――!?
「房宿さんヘアヌード写真集キレイでしたよ」
しかも脈絡もなく
台本
はい笑ってー
にこっ
→流されやすい魚座
んでもって やっぱり謎を残しつつ
緑川さんと荒木さんとモロモロと
中華料理店へ行くワタセで
あった……が!!
読みましたよコレ
「心宿しっかりしなさい」
ミントでKISS ME
みんなで。
なんとワタセは本編と共に番外編のアフレコも聞けたワケですな(笑)
で声優さんみんなで笑ってたのか…!!
ぜんぜん気付かなかった…
気付かんかい原作者!!
これがオチか…!?
「びっくりしたなあ.もう」の巻 おわり→次回「心宿しっかりしなさい!2 声優さん達は演じたがってる!」の巻

▲テスト前の本読み（打ち合わせ）風景。本日収録する話数の演技上の注意点なんかが語られちゃうわけです。声優のみなさんの頭の中は演技プランでいっぱい

ただ今収録中

―アフレコ・ルポ―

ワタセがアフレコを見学するのはこれで２度目。この日は12月７日放送の36話の録りだが、収録当日は〝柳宿の死が全国に認知されてしまう日〟だったこともあり、ちょっぴり落ち着かないワタセなのだった。

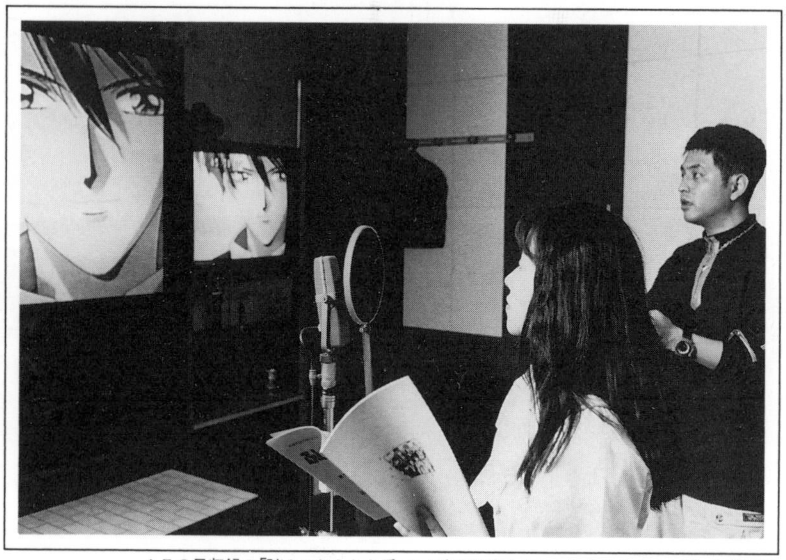

▲この日収録の「踏みにじられた愛」は心宿が美朱を手にかけようとするお話。収録前は照れて「見たくないー」とのたまっていましたが、本番が始まるとしっかり見てました

もう心宿しか目に入っていないワタセ。

▲心宿が出るたび「カッコイイー」とため息をもらすワタセ。その他のお気に入りは猫のたま（←冬馬さんの猫声は絶品！）＆氐宿

▲さまざまな計器が並ぶサブルーム。本番中の音響監督さんからの指示はここから。我々にはまったく気づかないペーパーノイズ（台本をめくる音など）も厳しくチェック！

あ、こんなところにもワタセが

アフレコ終了 お疲れさま♥

▲出演者の方々に囲まれてニッコリのワタセ。前列左から関智一さん（井宿）、荒木香恵さん（美朱）、緑川光さん（鬼宿）。後列左から古澤徹さん（心宿）、川上とも子さん（張宿）、冬馬由美さん（唯）、渡瀬先生のとなりが林延年さん（翼宿）。

INTERMISSON

Location Hunting

'93年7月26日～8月3日まで、渡瀬先生はロケハンを兼ねた中国旅行へ。ここでは、その膨大なロケハン写真の一部を紹介します。

お前達《まえたち》の持《も》つ
能力《ちから》を更《さら》に
増大《ぞうだい》させるものじゃ
それをどう
扱《あつか》うかはお前達《まえたち》
次第《しだい》じゃな
そういや
何《なに》か身体《からだ》中《じゅう》に
力《ちから》がみなぎった
ような…

北京《ペキン》／故宮《こきゅう》博物院

右の写真は博物院の天井、右下は扉。天井はとても高く、また装飾も非常に精密だとか。うーん、歴史を感じさせるゴージャスさ

'93 7 26

北京《ペキン》／故宮《こきゅう》博物院

上に同じく「ラストエンペラー」の舞台・紫禁城（故宮）の内部。ここを全部見ようと思ったら１週間かかる程広い

'93 7 26

第《だい》七十五回《かい》
バイバイ…!

'93 7 30

ふっ
うまく
逃《に》げられたと思《おも》うな
朱雀《すざく》の巫女《みこ》共《ども》
…北甲国《ほっかんこく》に
たどりつく前《まえ》に
息《いき》の根《ね》を止《と》めてやる!

西安《シーアン》郊外の景色

この岩壁は、女誠国の外壁にいかされているようです。それにしても、普通の観光客はこんなトコいかないよなあー

北京↓西安↓桂林 9days

桂林《けいりん》／漓江《りこう》下り

うわーっ、いかにも中国！　という感じの風景。北甲国へ向かう運河はこの川のイメージで作られたんですね。

西安《シーアン》／華清池《かせいち》の四阿《あずまや》

蠱毒《こどく》でイカレた鬼宿に絶望した美朱が、入水自殺をはかるところにもこんな建物がありましたね。ここは、華清池の展望&休憩用の場所です

西安《シーアン》／碑林《ひりん》

たくさんある石碑の中には、玄武の碑のように頭が丸いのもあれば四角いのも。土台から亀の頭が出ているのもあった

ふしぎ遊戯 アニメフリートーク

「ふしぎ遊戯」は美朱と唯の内宇宙を描いた物語。

ARAKI KAE
WATASE YUU
MIDORIKAWA HIKARU

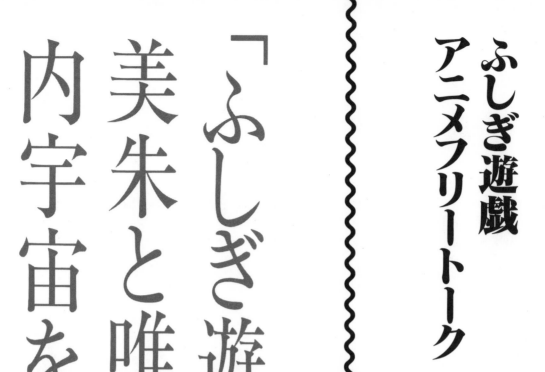

座談会当日は奇しくも33話「柳宿　永遠の別離」の放映日だったのでございます。

座談会のあとはサイン会に。
マジックであっという間に描
き上げる渡瀬さんに感心する
緑川さんと荒木さん

スタジオはいつもとっても和やか♪

渡瀬　今日は、アフレコを見せていただいたんですが、本番の前のテストなんかも見れてとてもおもしろかったです。

緑川　あれは、聞ける人の特権ですよね。みんなすごく遊びが入っていたりして。

渡瀬　そう、「美朱にナニをしたー」というあれが(笑)。

荒木　今日は、みんな先生の本に影響されていたから。スタジオの中はすっかりお笑いになっちゃって(笑)。

緑川　「ミントでKiss　me」というコミックスの巻末に描かれているんですけど、それがタイムリーなことに、ちょうど今日収録のところのお話で。

荒木　今日の、心宿がグッて美朱の胸を触るというシーンで……

緑川　そうそう。心宿が新人の俳優で、美朱は売れっ子のアイドルで年も10歳ごまかしているという設定の。

荒木　「痛い!」って。「この新人、本気でつかむんじゃないわよー」みたいに心宿に言うのね。

緑川　そうそう。

渡瀬　それで心宿は吹っ飛ばされてとう……。

荒木　そう。私ってばチョー性格悪い。

緑川　みなさん!　あれ、ぜひ見てください。おもしろいですから。

渡瀬　鬼宿も性格悪かったですね。

緑川・荒木　そうそう。

渡瀬　鬼宿、偉そうなんですよね。

緑川　翼宿もドヨーンとしていて、心宿は、「翼宿さん、何であんな暗いのにあんな明るい芝居ができるんだろう……」って(笑)。

荒木　みんな、今日はその本を読んじゃって、すっかり影響されていましたね。今日は本当は悲しいシーンだったんですけど。

渡瀬　テストのときは和やかでしたね。いつもあんな感じなんですか。

緑川　和やかですよ。いっつも誰かが、散々せめられてね(笑)。この間も、檜山さん(修之・斗宿)が散々いじめられていたし。「この番組はゲストに厳しいの?」って(笑)。

荒木　ええ?　優しいのよ(笑)。

渡瀬　今日は心宿が(笑)。

緑川　うん。今日は張宿もいじめられたね。

荒木　張宿は、かわいいからいじめられちゃうの。

渡瀬　和やかですねー(笑)。

七星士たちは美朱と唯の内面を表していた

――鬼宿と美朱って、どんな人だと思いますか?

緑川　鬼宿は、とりあえず喜怒哀楽が激しいので、演じるうえで忙しいキャラクターだなというのがありますよね。それだけ、こちらも余裕を持っていないと対応できないという。難しいけど、その分楽しいです。

渡瀬　うん。鬼宿は難しいと思いますよ。パッとシリアスになったり、パッと明るくなったりするじゃないですか。

緑川　そう。今度はこうくるかって……。

荒木　私たち「狂っている」とか言われているのよね。

緑川　そうそう。スタジオで、今よく言われている。

荒木　二人で、よく「キャー」って言って、すぐにクッってシリアスになるから。多重人格者みたいに(笑)。

緑川　そうそう。ひどいよね。みんな(笑)。

渡瀬　すごい難しいだろうなと思いますよ。自分でもキャラをつかんで描いてなかったから(笑)。だから強いところと、ものすごく弱いところと、両方合わせ持っているんですよね。あと、大人の顔をするところと、すごい子供の顔をするところとか。あとは何だろうな、ともかくすべてにおいて両極端なんです。いつも、「ああ、ごめんなさーい」っていう感じで見ているんですけども。

荒木　なんか、鬼宿って熱い男っていう感じですよね。

美朱は、まわりを巻き込んでしまうけど、すごく一生懸命生きている。成長するキャラクターだと思います。だから、私も一緒に成長していけたらいいなと思うんですけど…。

何か、隣に先生がいると何を言うのもちょっとどきどきしちゃう。「違ーう」と思われたらどうしよう(笑)。

渡瀬　いや、全然そのとおりですよ(笑)。「ふしぎ遊戯」の大きなテーマは成長ですから。

それと、私の中のイメージでは、この作品は「内宇宙もの」という部分があったんです。朱雀と青龍、それぞれの七星士は彼女たちの内面的なものだという。だから、どっちが先にあの本を開いても、きっと美朱が朱雀の巫女になっていたと思います。唯が最後に「心宿は私の中にいたんだね」って言うのはそういう意味もあったからなんですよ。

二十八宿というのも内宇宙という縮図として描けたかなと。全部、自分の中の

私の地は翼宿と、字が出ていない時の張宿

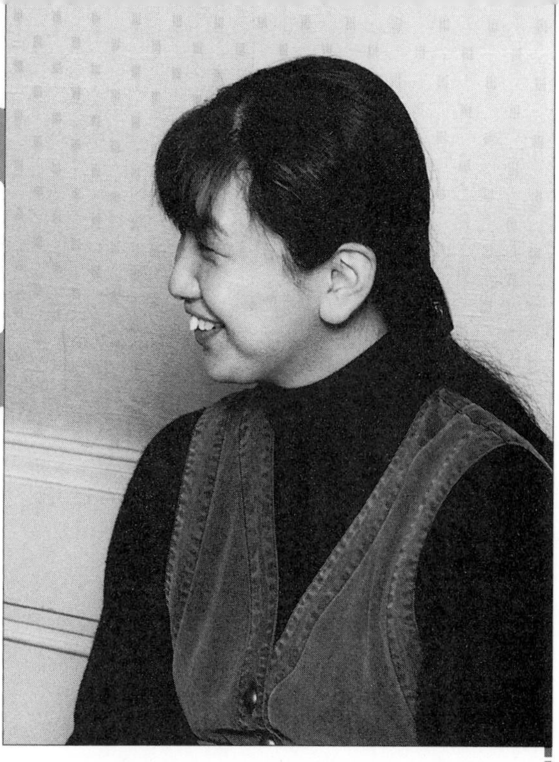

渡瀬悠宇

3月5日生まれ。大阪府出身。「女の子を脱がせるのは男性読者への、男の子を脱がせるのは女性読者へのサービスなんです。決してワタセがHなわけでは…」

戦いだったというかね。

　ただ、美朱って、ばかなんですよね（笑）。

荒木　え、ばかなんですか（笑）。

渡瀬　「ばかだなー」という意味ですけど（笑）。柳宿のセリフで、「どうしてそうどんくさいの」というのがありましたけど、「自分でもわかんなーい」という感じでね。でも、あの子は芯は強いんです。それと、唯のほうが、もろいですよね。それと、あまり出てこないんですけど、けっこう記憶力もいいんですよ。アニメのほうでは出なかったんですけれども、マンガの一話めで、塾の先生がいつも言っていることをパーッと言う…。

荒木　ああ、そうなんですよね。

渡瀬　それで、最後に朱雀の招喚の呪文を、さらでバーッと言うところがあって、あれは、伏線がはってあったんですよ。

荒木　ああ、なるほど……。

緑川　それ、スタジオでも話題に挙がってたよね。「よく覚えたよねー」って。

渡瀬　だから、この子、何か普通と違うなとか、すごくしっかりしているところもあるなとか、ちょっとしたところで見えたらいいなと。

　あとは、真っすぐで一途だから、隠し事ができなくて、要領がよくないんです。鬼宿も好きだし、唯ちゃんも好きだし。唯というのは、そこら辺ははっきりしていて、「鬼宿と私、どっちがいいの」みたいな感じでいるんだけれども、美朱は両方とも好きーって言ってしまう。

　でも、美朱がもっと性格が悪かったら、すごい話になってたでしょうね。七星士全部に手をつけまくるとか（笑）。

荒木　うまいこと言っちゃって。

緑川　コワーイ（笑）。

荒木　コワーイ。

渡瀬　私はノリ的に似ているというと……、地は翼宿かなと思うんですけど。あんなパーンという感じはないですけどね。私、性格が熱いし。怒るとあんな感じかなみたいな。マンガを描いていない時は字の出ていない張宿（笑）。

緑川　やっぱり、仕事場にハリセンがあったり……（笑）。

荒木　カーン、カーンて？

――お二人は自分のキャラと共通点は。

荒木　本人は、誰にも迷惑をかけずに自分のやらねばいけないことをやろうと思うんだけど、結局、迷惑をかけて、みんなにフォローされながら生きていくというのがそっくりかなと。

緑川　僕は一途なところかなー。

渡瀬　荒木さんが笑ってますけど。

荒木　自分で自信を持って『一途』って言うから、聞いてて私が照れちゃったの。ゴメンネ。

声の演技って本当に大変

――印象に残っているお話は？

緑川　僕は、美朱が心宿に捕われて助けに行ったときに心宿の結界が破れて、突っ込んで行った回と、兄弟が殺されるところが、印象深いですね。もう思いっ切り気合が入りました。結蓮とか好きだったんで。

渡瀬　ああ、分かります。

緑川　でも、すっごく難しいのは、ほかの番組でも経験があるんですけど、原作とか読んでいて、まず、ウルウルくるんですよ。で、あそこのシーンもそうだったんですけど、実際にスタジオに行くと絵に合わせなければいけないじゃないですか。だから、現場ではクールでいなきゃいけない。でも、原作読んで、あんなに感動したんだから、絶対この感動は出したいという思いもあるんですよ。その思いがぐちゃぐちゃになって、下手すると妙にさめちゃうときがあるんです。

　でも、思い切り感情的になっても駄目なんですよ。芝居がききづらくなったりして。本当に何かいろいろな問題があって。あの回も、テストでも、ラストテストでも、何かこうノッてこなくて、「ああ、いやだ、いやだ、このままこのシーンが終わってしまうのは絶対いやだ」と思ったら、あの最後のとこは本当に泣けたんで、すっごくよかったなと思ってます。

　ただ、あの後すぐ終わっちゃうのはさびしかった。あのとき、ピッと終わって、アイキャッチじゃない？　この感情はどこに持っていけばいいんだと（笑）。

荒木　本当にね、泣きすぎちゃうとしゃべれなくなっちゃう。

緑川　感情が入っていればいいっていう問題でもないもんね。

荒木　うん。そういう入れ込む回の時は、何回も原作を読んで、泣いて、もうとにかく、ガーって泣いて、今日は少し抑えるぞというふうに心をもっていって。そうじゃないと、またカーッと、入り込みすぎちゃうから。

渡瀬　やっぱり、あの27話は泣いていたんですね。そういう声でしたもんね。

緑川　ありがとうございます。

渡瀬　あの回は、私、絵コンテの時からダラダラ泣いていたんです。それで実際に見たら、アイキャッチに入るまで、途中で体が震え出して、ボロボロ涙出てきて、声を上げて泣いちゃったんですよ。

　あのときの演技が、鬼宿が本当に泣いて叫んでいるという……。緑川さんじゃなくて、今泣いて、怒って、叫んでいるのは鬼宿だという感じがして。役との合致というんでしょうか。だから見おわった後で、「すごーい」とか思ったんですよ。何て言っていいのかわからないんですけ

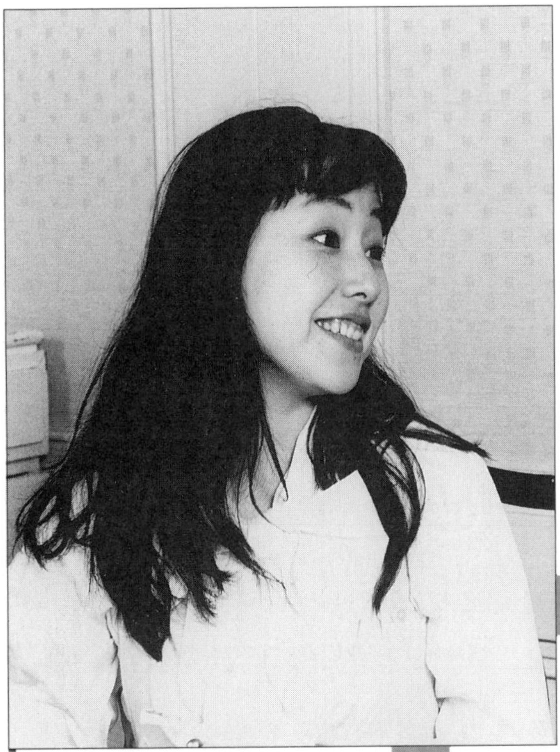

私も美朱と一緒に成長していきたいな

荒木香恵

11月16日生まれ。大阪府出身。アーツビジョン所属。アニメではカットされた女誠国のエピソードがお気に入り。「軫宿の女装が激しすぎて放送できなかったんでしょうか(笑)」

緑川　光

5月2日生まれ。栃木県出身。青二プロダクション所属。小学生の時にUFOを見たり、不思議体験が豊富な緑川さん。今は人のオーラが見えたりするそうです。

鬼宿も一途だけど僕も一途です

れども。

荒木　あの回は、みんないやがっていたよね。結蓮ちゃんたち殺されちゃうから。

緑川　だってあの時って、誰もお菓子食べなかったんですよ。

荒木　ねぇ、みんなもう暗くなっちゃってて。すごくつらいシーンだったから。

渡瀬　自分で描いてても、もう泣けましたよ。アニメで見ても何てひどいことするんだとか思って。何でこんなって真剣にムカツイて。美朱が「誰が」と言ったときにパッと心宿のショットが入るじゃないですか。「てめえ」とか思いましたもんね。

荒木　私たち、あの時はもうみんなして角宿を非難して、「この鬼《おに》!」とか言って(笑)。角宿役の上田君がせめられまくって、「いや、僕は……」って言いながら。「あんたってサイテーの人!」とか言われて。

渡瀬　ああ、角宿はキレてましたね。あの子はあの子で、亢宿に対する愛情がものすごいから。だけど、考えてみたら、何も殺さなくってもという感じですよね。私が描いてるんですけど……。

それでまた、今日の放送で、柳宿が死んじゃったじゃないですか。

荒木　私、柳宿にはちょっと感情移入しすぎていて、ほれこんじゃっていましたから、あの話はほんと、つらくて。でも絶対泣いちゃいけないって思ったから、原作読んで、シミュレーションして、泣かない、泣かない、泣かないって言って、自分をコントロールして行ったんだけど、やっぱり泣いちゃって。

さっきの緑川君じゃないけど、グッと抑えて。これ以上泣いたら、きっと「ウッ」となってNGになっちゃうからって、こう抑えながら、でも何かものすごく、きちゃいまして……。

渡瀬　美朱の見せ場じゃないんですけれども、ちょっと放心した時の演技が何か胸にきましたね。ああーという感じで。昨日ビデオを頂いていて、その時には泣かなかったんです。鬼宿の家族のときは泣いたんで、今回もきっと泣くぞと思って見ていたんだけれど、そこでは泣けなくて。なにか、自分の肉親が死んだときって事実を認められなくて放心しちゃうじゃないですか。だから、見おわったとき、ボーッとして、ああーという感じだったんですよ。

やっぱりああすごいなーって。声の演技とか、すごい大事なんだなって。27話と今日の33話で痛感しました。

やっぱり一度はやりたいラブラブもの

渡瀬　何かで、緑川さんが少女マンガのシリーズをやりたかったという話を聞いたんですけど、どうしてなんですか。

緑川　何か、やっぱり一回ぐらいはラブラブというのがやりたいなと……(笑)。男性とはよくあるんですけど。

渡瀬　ああ、ふーん。

緑川　だから男じゃなくて、ちゃんと女性相手にやりたいなーって(笑)。

渡瀬　今、はやっているから(笑)。

緑川　しかも、やられるほうばっかりなんで(笑)。

荒木　私、その場に居合わせたことがある。檜山君にラブラブされてた(笑)。しかも大阪弁で。すごかった。

渡瀬　それはやはり、男女のほうがよろしいでしょうね。(小声で)そうか。ラブラブがやりたかったのか。

荒木　私、今までラブラブされる役ってなかったの。

緑川　そうなの?

渡瀬　やっぱり、嬉しい?

ふしぎ遊戯 アニメ フリートーク

荒木　嬉しいー。
渡瀬　ああいうくさいセリフをボンボン言われて（笑）。
荒木　もっと言えー！（笑）もっと言えーと思って喜んでいたら、柳宿の坂本さんに、「またいちゃついているわ」とか言われちゃった（笑）。
緑川　「ああいうセリフ言って恥ずかしくないですか」ってきく人、多いんですけど、逆に普段言わないから思いっ切り言っちゃえーって楽しんでるよね。
渡瀬　鬼宿の場合、最大級のくさいセリフを十二巻あたりで言ってくれますから。あのセリフは気に入っているんですけど。
緑川　それは？
渡瀬　自分が本の中の人間だとわかって、なおかつそれを受け止めて、それでもまだ、美朱のことが好きだという。「お前はおれのもの」じゃなくて、「おれはお前のものだ」って。あああ、言っちゃった、言っちゃったみたいな。
　本当は言わせたくないんですけどもね。そういうシーンよりは、例えば翼宿と鬼宿が闘った回で、そこで美朱が去っていくときに鬼宿が泣いたとか、そういう表現のほうが好きなんで。
　クサいセリフはけっこう恥ずかしい思いして書いているんですよ。だから星宿とか、どうにかしてと思いましたよ、最初（笑）。
荒木　美朱はいたるところでモテてるからこれからどんどん嫌われちゃうかもしれない。
渡瀬　もう、嫉妬されまくりですよ。鬼宿、星宿、柳宿、亢宿……。今回、心宿にもあんなことされてるし。
緑川　そう、心宿にもって、あれ、いいことなんですか（笑）。
渡瀬　うーん。いいことなのかしら？
荒木　うーん。どうなんでしょう（笑）。鬼宿と星宿の間をムニャムニャしている時はファンレターでも「思わず唯ちゃん頑張れって思ってしまいました」とか書かれていて、オエーン、そんなー（泣）って思いましたけど。
渡瀬　すごく若い読者の子だとあんまり読み取ってくれないみたいですよね。鬼宿が倶東国へ行った時も「いつも大事な時にいない」なんて言う子もいました。ちょっと待ってー、みたいな。
緑川　もっと大人になって、もう一回読むと全然変わるんじゃないですかね。
荒木　うん。そう思う。
緑川　その時、実際に恋とかしていたら、あの二人の絆とか、すごくジーンとくると思うな。
渡瀬　あ、嬉しい。ありがとうございます。

（'95年11月16日　新宿にて）

色紙を持ってニッコリ。絵柄はそれぞれお二人のリクエスト。緑川さんは鬼宿と美朱を、荒木さんは美朱と柳宿を描いてもらいました

ORIGINAL ART WORKS

BY WATASE YUU

ふしぎ遊戯

1.少女コミック1996年2号表紙用イラスト　36.3×25.7cm

2.1996年「ふしぎ遊戯」カレンダー用イラスト　36.3×25.7cm

4.1996年「ふしぎ遊戯」カレンダー用イラスト　36.3×25.7cm

3.1996年「ふしぎ遊戯」カレンダー用イラスト　36.3×25.7cm

5.1996年「ふしぎ遊戯」カレンダー用イラスト　36.3×25.7cm

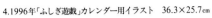

6.少女コミック1995年8号扉用イラスト　36.3×51.5cm

7.少女コミック1995年9号扉用イラスト　36.3×51.5cm

8.少女コミック1995年14号扉用イラスト　36.3×51.5cm

9.描きおろしイラスト　25.9×18.1cm

10.少女コミック1995年19号扉用イラスト　36.3×51.5cm

13.少女コミック1995年12号扉用イラスト　36.3×25.7cm

12.少女コミック1995年16号扉用イラスト　36.3×25.7cm

11.少女コミック1996年7号予告用イラスト　36.3×25.7cm

14.少女コミック1996年2号表紙用イラスト　36.3×25.7㎝

15.少女コミック1995年22号扉用イラスト　36.3×25.7㎝

17.少女コミック1995年24号扉用イラスト　36.3×25.7cm

16.少女コミック1995年8号表紙用イラスト　36.3×25.7cm

19.少女コミック1995年14号表紙用イラスト　36.3×25.7cm

18.少女コミック1995年19号表紙用イラスト　36.3×25.7cm

20. 少女コミック1996年3号ふろく占いブック用イラスト　17.0×17.0cm

21. 少女コミック1996年1号ふろくカレンダー用イラスト　34.2×30.0cm

22.描きおろしイラスト　25.9×18.1cm

25.少女コミック1995年5月15日増刊号とじこみポスター用イラスト　36.3×25.7㎝

27.少女コミック1995年14号ふろく
ポストカード用イラスト　22.4×16.0㎝

26.ＦＣ「ふしぎ遊戯」⑮カバー用イラスト　13.5×11.0㎝

23.描きおろしイラスト　25.9×18.1㎝（井宿）

24.描きおろしイラスト　25.9×18.1㎝（柳宿）

28.少女コミック1995年13号ふろくポスター用イラスト　51.4×72.5㎝

29.ＦＣ「ふしぎ遊戯」⑭カバー用イラスト　13.6×11.0cm

32.少女コミック1995年18～21号全員サービス
シングルＣＤ用イラスト　17.0×90.0cm

31.少女コミック1995年24号テレホンカード用イラスト　25.9×18.1cm

30.少女コミック1995年18～21号全員サービス
シングルＣＤ用イラスト　17.0×90.0cm

33.少女コミック1995年11号ふろくゲームノート用イラスト　29.7×21.2cm

34.少女コミックＣＤブック「ふしぎ遊戯4青龍開封篇」ブックレット用イラスト　25.9×18.1㎝

35.少女コミックＣＤブック「ふしぎ遊戯4青龍開封篇」ブックレット用イラスト　25.9×18.1㎝

36.少女コミックＣＤブック「ふしぎ遊戯4青龍開封篇」ブックレット用イラスト　25.9×18.1㎝

37.描きおろしイラスト　25.9×18.1㎝

38.少女コミックCDブック「ふしぎ遊戯4青龍開封篇」特典ポスター用イラスト　36.3×51.5cm

39.少女コミック1996年2号扉用イラスト　36.3×51.5cm

40.少女コミックCDブック「ふしぎ遊戯5朱雀飛翔篇」ブックレット用イラスト　25.9×18.1cm

41.描きおろしイラスト　25.9×18.1cm

42.少女コミックCDブック「ふしぎ遊戯5朱雀飛翔篇」カバー用イラスト　25.7×76.0cm

43.少女コミックCDブック「ふしぎ遊戯5朱雀飛翔篇」ブックレット用イラスト　25.9×18.1cm

44.少女コミックCDブック「ふしぎ遊戯5朱雀飛翔篇」カバー用イラスト　25.7×18.1cm

45.少女コミックCDブック「ふしぎ遊戯5朱雀飛翔篇」ブックレット用イラスト　25.9×18.1cm

46.描きおろしイラスト　25.9×18.1cm

73

47.少女コミックCDブック「ふしぎ遊戯5朱雀飛翔篇」特典ポスター用イラスト　51.5×36.3cm

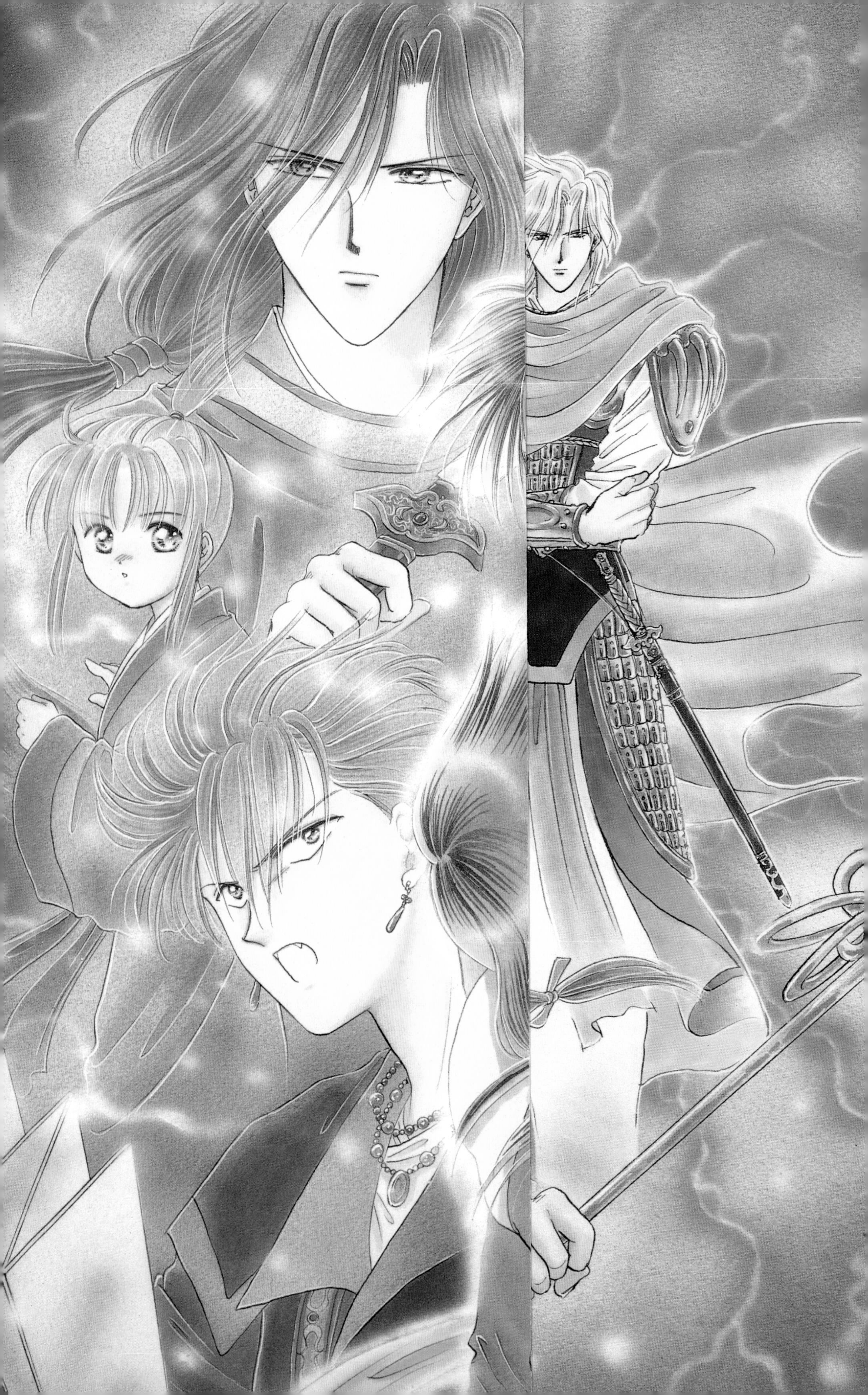

張

ANIMATION ART BOAD

アニメーション美術ボード

紅南国の士官
（色設定用シート）

紅南国の兵士
（色設定用シート）

王宮正面

星宿の乗馬

朱雀廟

紅南国

宮廷の四阿（あずまや）

鬼宿の故郷

紅南国の群臣（色設定用シート）

鬼宿の家

山賊の隠れ家

王宮内の中庭

INTERMISSION

ANIMATION ART BOAD

倶東国

倶東国の群臣
（色設定用シート）

倶東国の兵士
（色設定用シート）

倶東国の関門

王宮内の築山頂にある四阿（あずまや）

青龍廟

大極山

世界を映す大鏡の間

太一君（色設定用シート）

大極山の王宮

現代

図書館

四神天地書のある資料室

図書館の受け付け

ふしぎ遊戯

ANIMATION ART

II
MAIN VISUAL & PACKAGE ART COLLECTION

エンディングテーマ「ときめきの導火線」CDジャケット・アート（アポロン）

同右、色指定用シート

同左、色指定テスト用シート

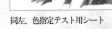

同右、色指定用シート

オープニングテーマ「いとおしい人のために」CDジャケット・アート（アポロン）

オリジナル・サウンド・トラックCDジャケット・アート（アポロン）

同右、色指定用シート

番組宣伝用イラスト

ビデオ第1巻ボックス・アート（バンダイビジュアル）

ビデオ第5巻ボックス・アート（バンダイビジュアル）

ビデオ第4巻ボックス・アート（バンダイビジュアル）

番組宣伝用イラスト

番組宣伝用イラスト

ビデオ第3巻ボックス・アート(バンダイビジュアル)

ビデオ第2巻ボックス・アート(バンダイビジュアル)

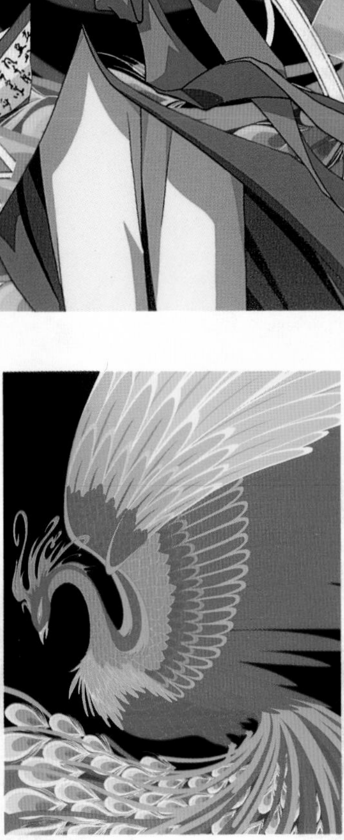

オリジナル・サウンドトラックCD特典ポスター用イラスト
下右:同上、背景セル
下左:同上、色指定用シート

INTERMISSION

Costume Collection

柳宿

男装の外出着
(26話)

(23～25話)

後宮内での女官姿
(3話)

後宮内での部屋着
(3～4話)

女装の外出着
(5～7話)

男装のふだん着
(12話)

少年時代の柳宿
(29話)

自室内での衣装
(3話)

ガウン
(9話)

ANIMATION FORMATS

アニメ「ふしぎ遊戯」の世界

〈付録〉「ふしぎ遊戯」小事典

アニメーションキャラクターデザイン◇本橋秀之　美術◇長崎 斉
アニメーションカラーコーディネイト◇いわみ みか

監督◇亀垣 一　シリーズ構成◇浦沢義雄

美　朱　MIAKA

夕城美朱　５月12日牡牛座生まれの15歳。身長158cm・体重48kg・血液型Ｂ型。原作によると食べることが趣味らしいが、むしろ特技といったほうがよいくらい食べまくる。そのわりには、なぜか太らないというお得なタイプ。作るほうはまるっきりダメで、アフリカ象をも一撃で倒す（ウソ）くらい激不味《まず》い料理を作ってしまう。人なつこく明るいタイプ。

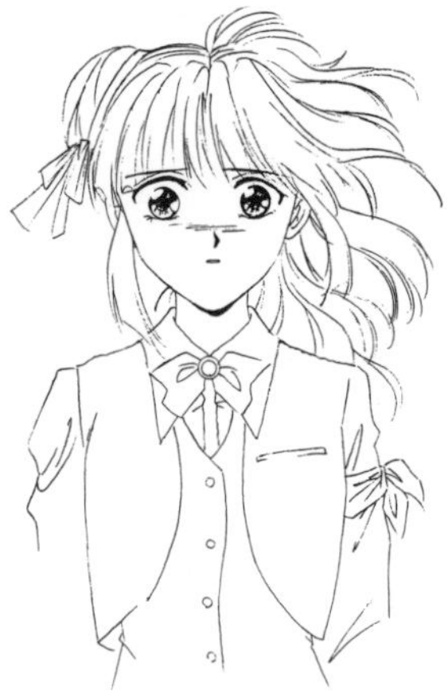

鬼宿 TAMAHOME

琮《そう》鬼《き》宿《しゅく》　6月28日蟹座生まれO型の17歳。紅南国寿霜《じゅそう》県の白江《はっこう》村という超寒村の出身で、病身の父親にかわって一家をささえていた。下に忠栄《ちゅうえい》、春敬《しゅんけい》という弟と玉蘭《ぎょくらん》、結蓮《ゆいれん》という妹がいたせいか、年下の面倒見がいい。末っ子タイプの美朱にはぴったりの恋人といえるだろう。朱雀七星士としての特技は、格闘技全般。身長180cmのタフでナイスな闘う長男。

心宿との闘いで傷ついた鬼宿（11・12話）

三頭身の鬼宿（27話）

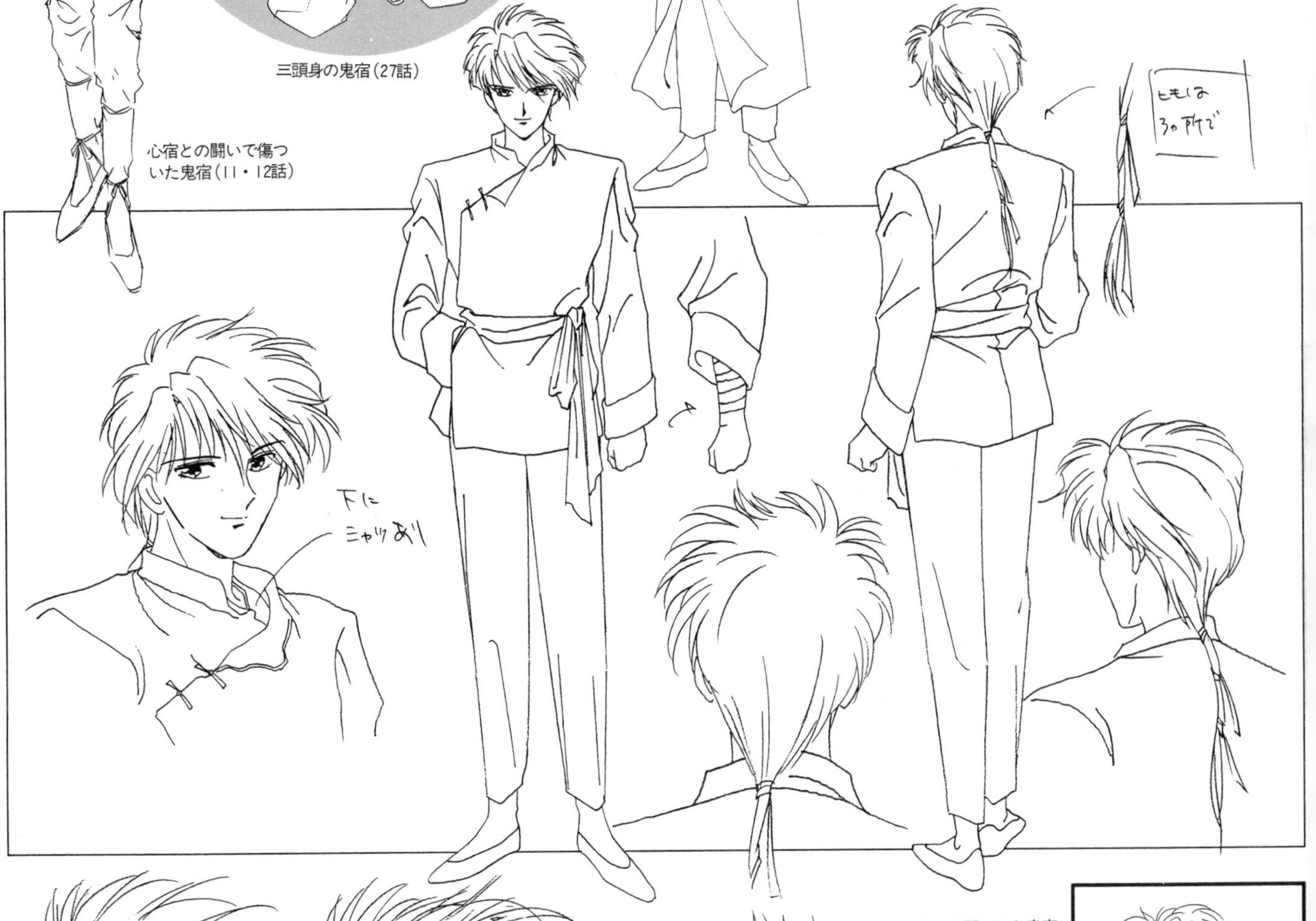

怒りで気功の力を全開にした鬼宿（27話）

鬼宿と同じ髪型にした忠栄（17話）

星 宿 HOTOHORI

彩賁帝《さいひてい》　４月２日牡羊座生まれＡ型の18歳。紅南国皇帝であり朱雀七星士でもあるという二重の宿命をおっているせいか、美朱に強く魅かれてしまう。身長182cmの超美形で皇帝としても臣や民にしたわれている。剣技にすぐれ、もの静かな性格だが、きわめつきのナルシスト。それが嫌味に映らないのは本人の人徳のおかげだろう。

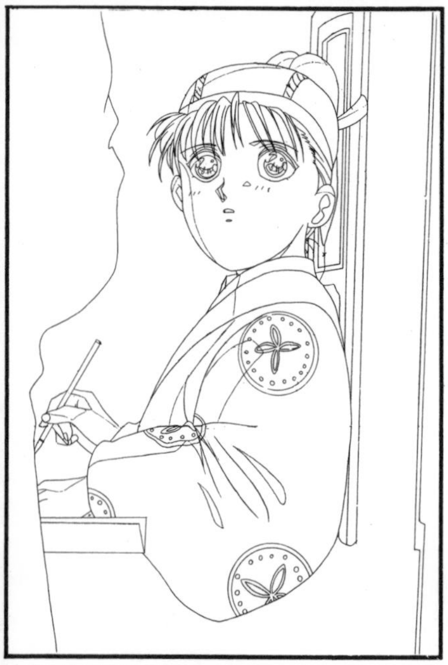

朱雀の巫女を待ちこがれていた子供のころの星宿

星宿の神剣

皇帝のときの沓

柳宿 NURIKO

逗柳娟《ちょうりゅうえん》　3月10日魚座生まれB型の18歳。不慮の事故で死んだ妹・康琳《こうりん》の生をひきつぐために、女装して紅南国の後宮に入っていた。身長166cmという小柄な体だが、七星士としての能力は怪力を与えられている。料理も得意で、りっぱなオカマかと思うと男らしい面もちゃんともっている不思議なキャラクター。男でも女でもない、柳宿は柳宿。

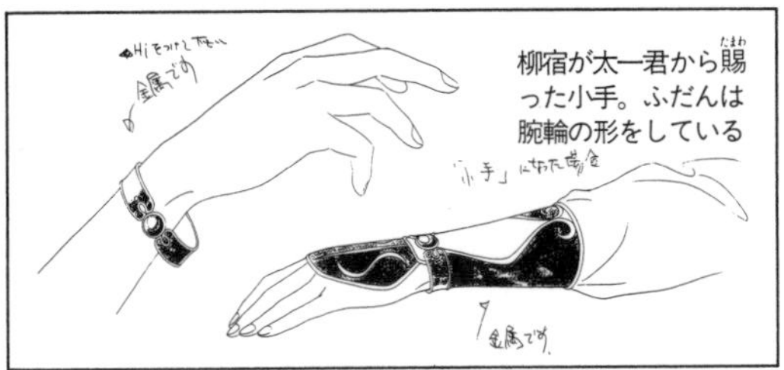

柳宿が太一君から賜《たまわ》った小手。ふだんは腕輪の形をしている

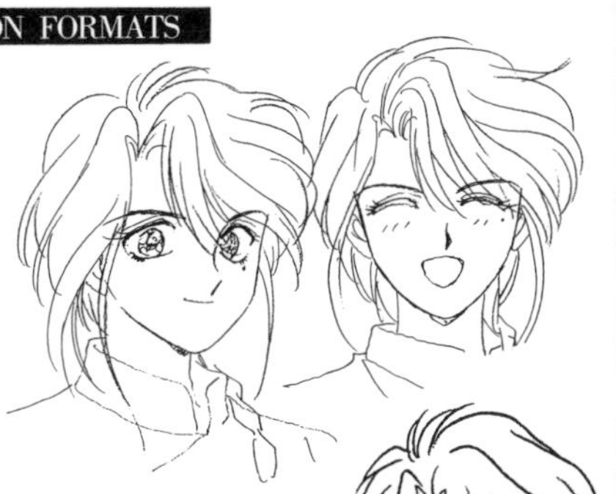

女装した柳宿

女装のときのイヤリング

妹の康琳は、柳宿の目前で馬車にはねられた。幼くして死んだ妹のぶんまで生きるため、柳宿は女に化身したのだった

康琳

子供のころの柳宿

唯 YUI

本郷唯　10月26日蠍《さそり》座生まれの15歳。身長162cm・49kg・血液型AB型。成績も運動も優秀で友達にも人気があるタイプで、美朱の親友。ショートカットなのは、美朱を守るナイトの気分があるせいで、その美朱に裏切られたと思いこみ青龍の巫女となる。心宿の術中に陥ったとはいえ、美朱と戦う立場に身をおいたのは、美朱への想いが強すぎたためかも。

22・23話の
ねまき姿
ブラウス
(12話以降)
唯のコート

心 宿 NAKAGO

本名不明　11月17日蠍《さそり》座生まれの25歳。倶東国によって滅ぼされた濱《ヒン》族の出身で、捕虜となるが、後に皇帝の一方的寵愛《ちょうあい》を受け、兵力の3分の2を握る将軍となる。青龍七星士として超絶的な気功力が覚醒したとき母親を失くしており、そのせいか女性に特別な興味は示さない。身長193cm。冷酷で無慈悲な復讐者。その横顔は、ひどくさびし気に見える。

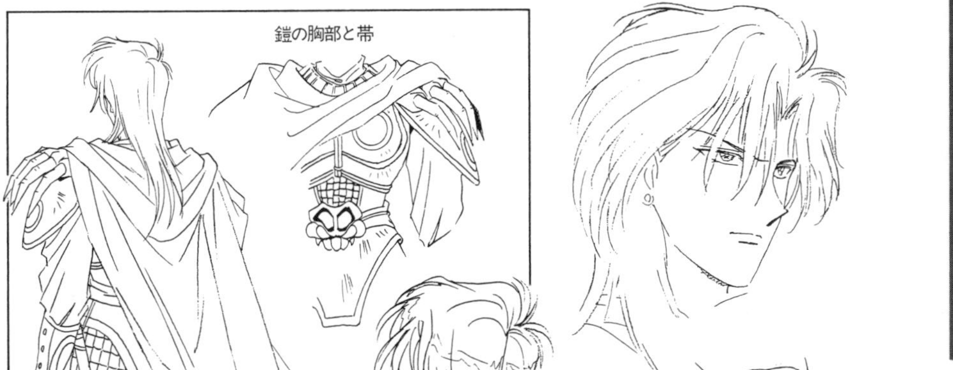

鎧の胸部と帯

鎧をぬいだ心宿（17話）

心宿の剣

兜と塵布をつけた心宿

翼　宿　TASUKI

候俊宇《こうしゅんう》　４月18日牡羊座生まれの17歳。身長178cmで血液型はＢ型。紅南国格州泰斗《こうしゅうたいと》市の出身で、幻狼の二つ名をもつ厲閣山《れいかくざん》の山賊だったが、頭目を親友の攻児にまかせ七星士に加わる。烈火神焰を発する鉄扇をもち、駿足をほこるおとこ気たっぷりのヤンキー兄《にい》ちゃん。人情にゃ弱いが悪には強い、吉本ギャグも冴えまくる。よっ、男前《おっとこまえ》やで、翼宿！

鬼宿との対決でボロボロになった翼宿

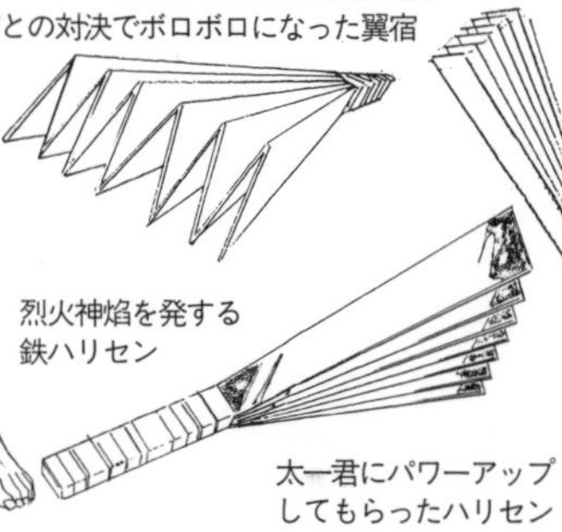

烈火神焰を発する
鉄ハリセン

太一君にパワーアップ
してもらったハリセン

キズは実線で
見えない部分

〈攻児〉
翼宿の親友で、山賊の頭代
行をつとめている

くびかざり
UP時Hiをつけて
2重にまいてます
下のシャツ

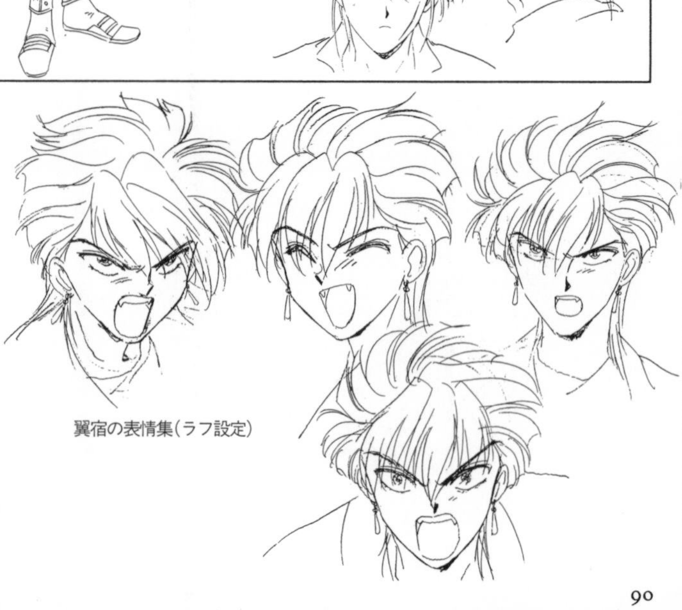

翼宿の表情集(ラフ設定)

井 宿 CHICHIRI

本名は不明　５月21日牡牛座生まれの24歳。身長175cmで血液型不明。太一君より伝授された術をもって、なんども仲間の窮地を救う。十代のころ親友とともに左目を失い、その痕が人目にふれぬように微笑の仮面をつけている。隠すというより、他人によけいな気遣いや不快感をあたえないようにそうしているらしい。恩讐を越えた者だけがもつやさしさである。

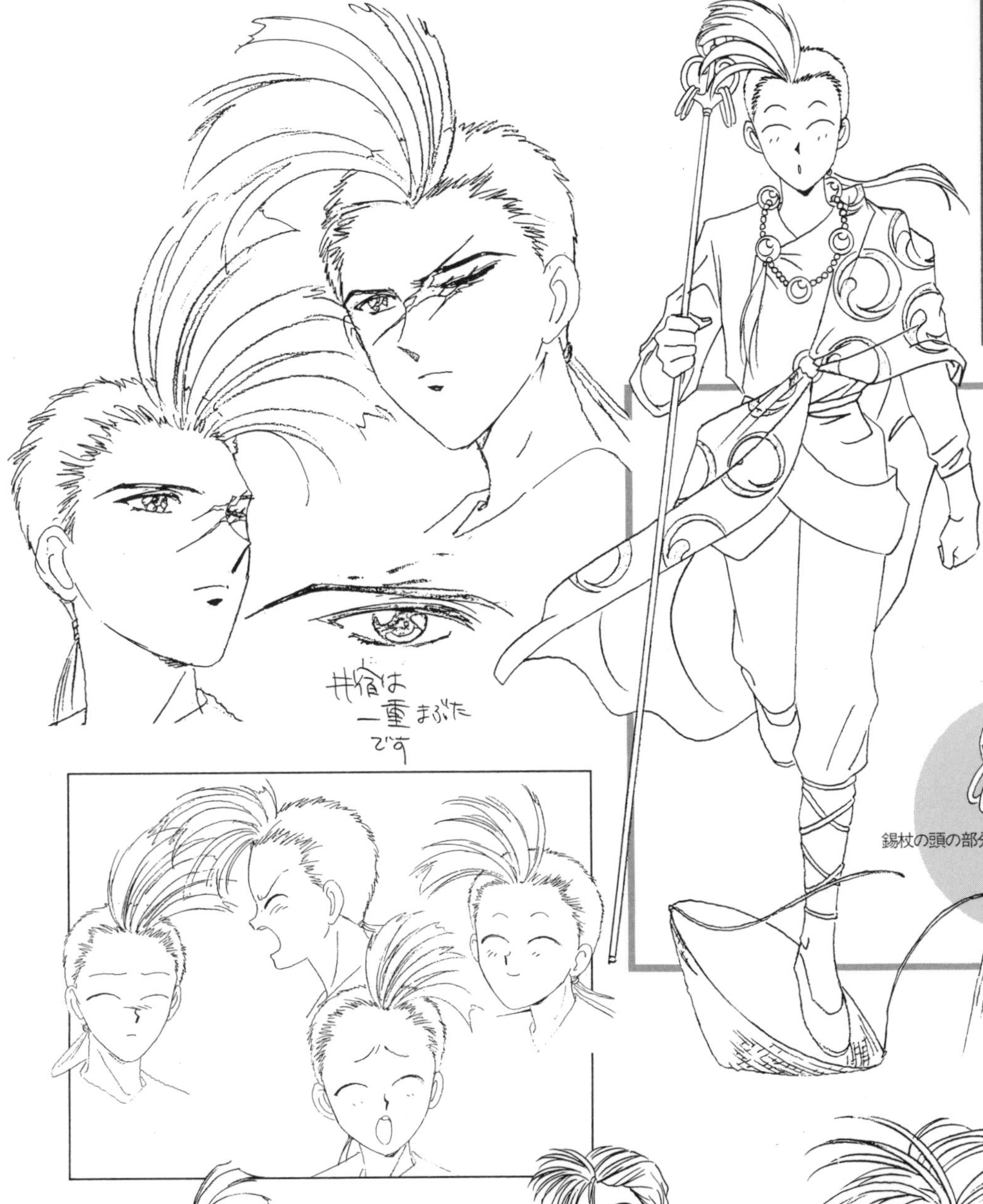
井宿は
一重まぶた
です
錫杖の頭の部分

井宿の首かざり
UP時
Hiあり

髪の毛に
かげをつけて下さい
井宿はこの親友に許婚者をうばわれた
マントのもよう

十代のころの井宿とその親友

張 宿 CHIRIKO

王道煇《おうどうくん》　3月19日魚座生まれの13歳。身長148cmで血液型はA型。紅南国上善《じょうぜん》市出身の天才少年。古今東西の書物に通じ、科挙にも状元に及弟（首席合格）している。ただし、この能力は朱雀七星士として与えられたものなので、左足の甲の〝張〟の字が消えると、ただの弱虫になってしまう。とはいえ、箕宿を倒したときの決断は勇気あふれるものだった。

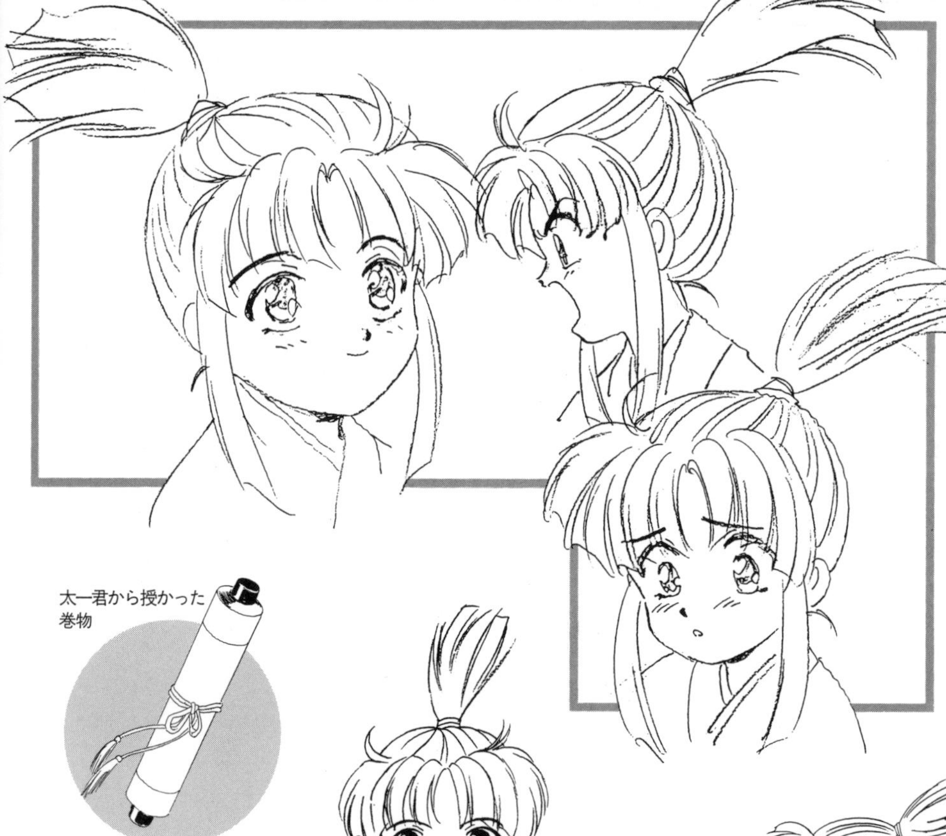

太一君から授かった巻物

●放映話数とコミックス対照表●

放送日	話数	サブタイトル	内容	原作コミック
4/6	1	伝説の少女	美朱、四神天地書に吸い込まれ、紅南の都に入る。	1巻 1〜56
4/13	2	朱雀の巫女	美朱と鬼宿、捕らえられる。美朱、朱雀の巫女になる。	56〜96
4/20	3	朱雀の七星	朱雀七星の鬼宿、星宿、柳宿。美朱をいじめる柳宿。	102〜143
4/27	4	すれちがう想い	星宿、美朱にプロポーズ。美朱は鬼宿に告白。熱で倒れる。	143〜終
5/4	5	とまどう鼓動	美朱と3人、太一君を探しに。鏡の中のもう一人の美朱。	2巻 1〜50
5/11	6	命果てても	美朱、自らの胸を刺し偽物を退治。4人、大極山へ。	50〜95
5/18	7	帰りたい…	太一君登場。唯や皆の力を受け、美朱元の世界へ帰る。	98〜132?
5/25	8	逢いたい…	唯を助けに、鬼宿に再び逢いに、美朱、本の中に戻る。	137〜終
6/1	9	見えざる敵	井宿登場。鬼宿の村・家族。倶東国からの刺客。	3巻 1〜50
6/8	10	囚われの少女	唯を探し一人倶東国へ向かう美朱。心宿登場。唯との再会。	51〜95
6/15	11	青龍の巫女	唯、心宿にそそのかされ青龍の巫女となる。	99〜143
6/22	12	あなたしかいない	唯の過去を知る美朱。鬼宿、星宿、美朱に対する心。	143〜187
6/29	13	愛するがゆえ	鬼宿、単身倶東国へ。美朱たち他の七星士を探す旅に。	188〜4巻47
7/6	14	砦の狼	幻狼登場。山賊の頭・睿俔《えいげん》を倒し鉄扇を取り戻す。	4巻 47〜93
7/13	15	蘇りの都	死者を生き返らす力を持つ少華。幻狼＝翼宿。美朱病に。	93〜146
7/20	16	哀しき戦い	謎の医者は「軫宿」。少華の病魔を倒し、美朱を救う。	147〜終
7/27	17	めぐり逢いの音	笛の音は最後の七星士「張宿」。一行は宮殿へ帰る。	5巻 1〜50
8/3	18	恋慕の罠	鬼宿を助けに行く美朱たち。唯は鬼宿に薬を飲ませ……	49〜91
8/10	19	ひきさかれる愛	薬で美朱を敵とした鬼宿は、容赦なく美朱を攻撃する。	5巻 91〜141
8/17	20	とどかぬ願い	更なる攻撃に美朱達は張宿の笛で結界を破り紅南へ逃れる。	142〜終
8/24	21	君を護るために	美朱溺れるが星宿に救われる。鬼宿、紅南へ。星宿と対峙。	6巻 1〜53
8/31	22	二度と離れない	鬼宿、星宿に刺され、蠱毒が解ける。唯ショック……。	53〜95
9/7	23	謀略の予兆	七星士が揃い、朱雀招喚の儀式の準備。が、張宿は偽物。	98〜148
9/14	24	炎の決意	張宿（亢宿）の裏切りで儀式は失敗。本物の張宿登場！	148〜終
9/21	25	愛されて、悲しくて…	美朱、恋心を殺し、玄武の国へ「神座宝」を探す旅決意。	7巻 1〜52

1995年4月6日(木)18:00より放映開始

美朱たちが最初に会ったときの、うちひしがれた姿

軫宿 MITSUKAKE

妙寿安《みようじゆあん》　5月7日牡牛座生まれの22歳。身長199cmで血液型はO型。紅南国北方の張宏《ちようこう》付近の荘園で医者をしていた。一度、病気で婚約者の少華をなくし、ふたたび病魔にとりつかれ仮りそめの生を得た少華を昇天させねばならなかった。治癒力をもつ彼にとってあまりにも皮肉で惨酷な運命をのり越え、命の尊さを誰よりも知る男となったのである。

少華

荘園の主の娘。軫宿の許婚者だったが、病死した後、病魔にとりつかれてしまう。

軫宿がつけている金属製の腕輪

太一君が軫宿にあたえた神水

9/28	26	星見祭りの夜	旅立ち前、鬼宿の家族が皆殺し。犯人の覚えある笛の音。	52～93
10/5	27	誓いの墓標	亢宿の弟・角宿、鬼宿に倒される。美朱たち、北甲国へ！	96～146
10/12	28	総集編～古昔之途	総集編	
10/19	29	動きだした謎	奎介と哲也、『四神天地書』の謎に挑む。	(146～終)
10/26	30	戦いの閃光	房宿を退け北甲国へ。神座宝を求めて旅立つ行く手に…	(8巻1～76)
11/2	31	不安の渦	特烏蘭《トウラン》で再会した唯と鬼宿。一方、美朱は尾宿に襲われる。	(76～131)
11/9	32	朱雀の宿星に殉じて	神座宝のありか判明。柳宿、青龍七星の尾宿と死闘。	135～171
11/16	33	柳宿永遠の別離	柳宿死す。洞窟の中で行く手を阻む斗宿・虚宿……	172～9巻31
11/23	34	氷の防人	神座宝は心宿の手に落ちる。取り戻すためには……	32～83
11/30	35	奈落の蜃気楼	心宿の罠に嵌《はま》る美朱。そこで唯の秘密を知る。	84～127
12/7	36	踏みにじられた愛	奪われた美朱を取り戻した鬼宿。愛を確め会う二人。	128～173
12/14	37	幻惑のぬくもり	記憶喪失の亢宿との再開。鬼宿には房宿の魔の手が……	174～10巻55
12/21	38	心の夜明け	亢宿が復活！ 美朱を助ける。鬼宿も房宿を退ける。	56～100
12/25	39	妖しき幻想	亢宿が味方に！ だが美朱は氐宿の術中に落ちて……	101～148
1/4	40	偽りの恋	美朱覚醒。自ら氐宿の罠を脱するが危機はいまだ……	149～11巻17
1/11	41	復活の陽光	朱雀七星士集う。鬼宿の突然の別れの台詞に美朱は……	11巻18～60
1/18	42	越えられぬ壁	婁宿と神座宝が心宿に奪われた。そこで美朱は唯と会う。	61～101
1/25	43	決別の来同	婁宿から『巫女』の運命を知る。美朱を裏切る唯だが…	102～161
2/1	44	刹那の攻防	青龍招喚、唯の中へ。朱雀は封印され、世は戦争へと…	164～12巻23
2/8	45	分岐の光	唯の願い叶う。それは美朱と鬼宿を引き裂くことだった。	24～101
2/15	46	虚実の少年	鬼宿、美朱と共に人間界へ。が、過酷な現実が二人を…	102～147
2/22	47	鎮魂の空	角宿、人間界へ。美朱の命をねらう。軫宿死す。	148～191
2/29	48	華燭の典	角宿・星宿死す。危機せまる唯の心に動揺が……	13巻3～46
3/7	49	この命賭けても	永遠の愛を誓い合う美朱と鬼宿。心宿もまた本性を表す。	47～92
3/14	50	贖罪の瞬間	唯、美朱のために青龍を呼び出す。	93～113
3/21	51	託された希望	朱雀七星士集合。美朱、朱雀招喚し青龍を封印する。	114～151
3/28	52	いとおしい人のために	心宿死す。唯と美朱高校生に。そして転生した鬼宿が…	152～終

ふしぎ遊戯 小事典

あ行

◆愛人人形（アイレンにんぎょう）栄陽の都で流行っている恋のおまじない人形。男のほうには好きな人の名前を、女のほうに自分の名前を張りつけたこの人形を誰にも見られないように土の中に埋めると2人の愛は永遠になると言われている。だが、オカマには効かなかった。

◆尾宿（あしたれ）柳宿を殺した奴としてファンの顰蹙《ひんしゅく》をかっている可哀想な人。倶東国《くとうこく》の端の見世物小屋にいるところを心宿に拾われる。狼の血が混じっており、人間の部分が死ねば狼の本性が現れる。年寄りの肉は不味《まず》いからきらいらしい。

◆亢宿（あみぼし）両親を国の内乱で失ってからは、双子の弟・角宿のためだけに生きてきた。最初はニセ張宿として登場したがその後の身の振り方で、両国の間で苦悩する少年像が板につき人気上昇。本名・武亢徳（ぶこうとく）。倶東国・山雲省天陵市生まれの15歳。身長１６８cm・A型。口から発する気を笛の音で自在に操る。

◆色じかけ 倶東国の牢を脱出するために、見張りの兵士に対して美朱がとった思い切った策。色気がないようなことを言われている美朱だが、猫も兵士もちゃんと悩殺されていたぞ。

◆我愛你（ウオアイニイ）〝紅南国を侵略されたくなければ鬼宿を差し出せという〟倶東国の申し出に応じた鬼宿が、美朱のノートに書いた書き置き。中国語で〝愛している〟（ヒューヒュー）

◆大杉鈴乃（おおすぎすずの）奥田多喜子の次に「四神天地書」に吸い込まれ、〝3つの願い〟をかなえて現世に生還。その後、本の中の婁宿が死ぬまで生き続けた。父である大杉高雄は奥田永之介の親友。

◆奥田永之介（おくだえいのすけ）「四神天地書」の訳者。「四神天地書」に吸い込まれ、玄武の巫女となった自分の娘の多喜子を手にかけた後、自殺した。

◆おばけちゃん 子供の頃の鬼宿はこう呼ばれていじめられていた。未だにトラウマになっているらしい。

か行

◆懐可（かいか）西廊国国境付近の磨汗村に住む笛の得意な少年。実は亢宿。大イタチを退治に行き、怪我をした美朱を助ける。角宿に口移しで飲まされた忘却草によって青龍七星士としての記憶を完全に失った。

◆開神 神獣を呼び出した巫女が神獣に願い事をする時に言う言葉。一つ願いをかなえてもらう度に巫女は神獣と交わり、体を食われていくのだ。

◆梶原哲也 美朱の兄・奎介の友人。なかなか鋭い洞察力と推理力の持ち主で、奎介の「謎」探しに協力してくれた。その後、唯に交際を申し込んだ。

◆ガム 美朱が持ち込んだ現代文明の証《あかし》。紅南国の牢に閉じ込められたとき、見張りを気絶させるのに使った。鬼宿の見積では時価1両とのこと。

◆傀儡の法薬（くぐつのほうやく）箕宿が蠱毒《こどく》から作った薬で、鬼宿は記憶を操作され美朱たちを憎悪するように人格を作り変えられた。

◆倶東国 青龍を守護神と崇《あが》める国。皇帝は、紅南・北甲《ほっかん》・西廊の3国を手中に収めるべく青龍七星士を心宿に集めさせた。ちなみに皇帝だからといって星宿のように若くも美しくもない。

◆クマのぬいぐるみ 北甲国に出航する美朱が、星宿に自分の身代わりだと渡した。幼稚園のころからもっているものとか。

◆黒美朱 大極山へ向かう美朱たちを試すため、太一君がさしむけた鏡の妖怪が化けたもの。この美朱は鬼宿よりも星宿がお好みで、超積極的。

◆現実の鬼宿 唯の二つ目の願いにより現実の世界に戻された美朱にくっついて来てしまった鬼宿。オシャレして新宿の街を歩く彼は、みんなが振り返るほどカッコよかった。

◆玄武の石碑 ２００年前の古代文字で、玄武の神座宝のありかを記してある石碑。

◆紅南国の伝説 〝国が乱れ滅びんとするころ、異世界より「朱雀」神の力を得るため娘が現れる。「朱雀」の力を手に入れた娘はその力をもって国を導いてくれるであろう〟というもの。

◆攻児 厲閣山《れいかくざん》の山賊の頭で翼宿の親友。なぜか関西弁。翼宿との会話は、懐かしの桑原和男さんのギャグで始めるきまり（?）がある。「ごめんください。どなたですか。頭《かしら》のピンチを救いにきたとーっ

てもかっこいいお兄さんたちです。まあステキ！　お入りください。ありがとう」と、最終決戦にもこの緊張感のないあいさつとともに現れた。

◆**胡人**　心宿のように金髪で青い目を持つ異民族。〝胡人〟での美朱のボケ2題。おじんと故人。

それは「故人《こじん》」!!

それは「おじん」!!
ウィーッ 姉ちゃん いいカラダ しとんなぁ

◆**蠱毒**（こどく）呪術をかけて作った毒薬。一度体にいれると元に戻らないといわれている。

さ行

◆**西廊国**　白虎を守護神と崇める国。北甲国の南の砂漠を通って行くと近い。

◆**四神**　中国の天文説で星宿（星座）の所在を示すため、天球を黄道に沿って28に区分したものを二八星宿といい、天を東西南北の四宮にわけ、各宮に七宿ずつを当てた。そして、北に玄武、南に朱雀、東に青龍、西に白虎と、それぞれの方位を司《つかさど》る神獣を配した。

◆**四神天地書**　大正時代の作家・奥田永之介が中国でみつけ、和訳した経典で火をつけても燃えない。物語自体が一つの呪文になっており、読み終えた者はその物語の主人公と同様の力を持つといわれている。

…四神天地書？
パラパラ 見たとこ 昔の中国小説の 和訳 みたいなんだ けど

美朱と唯は都立図書館でこの本を見つけ、本の中に入ってしまった。

◆**受験勉強**　美朱も唯も現実では高校受験を控えた中学3年生。本の中の世界でも勉強は欠かさないのだ。

「日米修好通商条約」「鎖国の終わり」1858年!!
「尊王攘夷運動」「井伊直弼…」
……

◆**呪符**　好きなものを書き込むと、実体化して出てくるお札。翼宿が持っていた。美朱はお菓子や鬼宿を出していた。

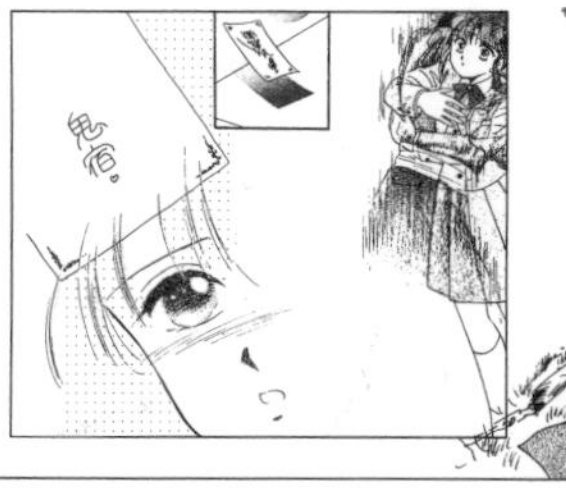
鬼宿。

◆**城南学園**　唯と美朱（正確には美朱の母）の第1志望校。偏差値75。都内1の有名進学校。競争率も随一。

…ん？ あの制服《せいふく》は…

◆**少華**（しょうか）軫宿の許婚者《いいなずけ》だったがはやり病で病死。だが軫宿への思いが強く、物の怪にとりつかれゾンビ状態に。

◆**女装**　北甲国へ向かう途中、嵐に巻き込まれてたどり着いた〝女誠国《にょせいこく》〟が女尊男卑の国だったために、七星士全員が女装させられるハメに。

原作では人気のあったこのエピソードが、TV版ではカットされてしまったのは「ひとえに軫宿のせい」だという噂がまことしやかにささやかれている。鬼宿と翼宿はご覧のとおり意外とお似合い♥

オレではないぞ!!

◆**女装した星宿**　翼宿を探す途中で山賊に捕らえられ、女に間違えられたのをいいことに「いざ、参るわよ」と女のふり。なんだかんだ言っても柳宿があきれるほどノっていた星宿って、ナルシーな奴。

じゃちょっと…
パフパフ
くるっ
いざ参るわよ 柳宿!!

◆**蜃**（しん）青龍七星士の氐宿が幻覚を見せるときに使う〝はまぐり〟。心宿は氐宿が残した蜃で美朱たちの世界を見て興味を持つ。また、本の外へ戻った唯との通信用にも、心宿は使用していた。

パカ…

◆**神座宝**　巫女が神獣招喚の時に身につけていたもの。神獣の神通力が宿っている。玄武の神座宝は首飾り、白虎の神座宝は手鏡。七星士が欠けた場合、神獣招喚にはこの二つの神座宝が必要となる。

◆**神獣招喚の儀式**　処女である巫女が身を清めて衣装を着け、「四神天地書」を読み上げる。その後、「天地書」を炎の中にくべる。七星士がそろっている場合は巫女を取り囲んで並び、七星士全員〝無〟の状態で気を集中させなければならない。そのため非常に無防備である。七星士が欠けている場合は、祭壇に二つの神座宝を捧げる。

◆**朱雀**　鳳凰《ほうおう》。不死鳥。紅南国の守護神。鳳は〝雄〟を凰は〝雌〟を表わす。身を焦がしながら炎の中で結ばれては何度も生まれ変わる、宿命の愛の象徴である。

◆**昴宿**（すばる）白虎七星士の一人。鬼宿のお師匠である奎宿《とかき》の妻。若いころはナイスバディ子。時間を戻す術を使って奎宿と2人で美朱たちを助けてくれた。

◆**角宿**（すぼし）亢宿の双子の弟。生年月日や身長などのプロフィールは亢宿に同じ。流星錘という暗器（一見武器には見えない武器）を念動力で操る。兄と正反対で荒々しくガムシャラ。兄への愛情はとても深い。美朱たちに兄が殺されたと思い込んだ彼は、鬼宿の家族を惨殺。兄を傷つける者はたとえ味方でも殺してしまう。…氐宿……合掌。

◆**青龍**　倶東国の守護神でその真性は東海青龍だが、天から降りて来る時はハンサムくんなお姿。

我は青龍星君なり 我を呼び出した巫女はお前か――

◆**房宿**（そい）幼いころ、貧困のため妓楼《ぎろう》（遊女屋）に売られ娼婦となる。12歳のころ心宿に出会い、以来、彼の役に立つことが房宿の喜びとなった。愛する人には、健気《けなげ》で優しい女性なのである。特殊能力は、雷・空中の電磁気を操る一種の風水術&房中術。本名は白花婉（はくかえん）。西域・寧族・眩村生まれ。19歳。身長170cm・O型。スリーサイズは上から89・56・85のナイスバディ。

◆**房宿の房中術**　交わることによって相手の気を狂わせたり、高めたりすることが出来る。氐宿の術で美朱になりすまし、鬼宿を狂わそうとしたことも。

…もういい お前にはもう一度機会をやる
でもこの国の…気候は西の人間の私には不利です

た行

◆**太一君**（たいいつくん）一見砂かけばあのようだが、この世界を司っている、渡瀬の次にエライお

方。その正体は天帝。紅南国に伝わる。「四神天地書」は太一君から先代の皇帝が渡されたもの。大極山に住み、宙に浮くなど様々な術に長《た》けている。中国の星辰説で太一とは北極星のことで、死を司る主星。

◆大極山　選ばれた者にしか見えないし、たどり着けない山。邪心のある者には岩の転がった山にしか見えない。

この山《やま》は 選《えら》ばれた者《もの》にしか 来《こ》れぬし また見《み》えぬ
ホッホッホッ

◆ダジャレ　物語がシビアな展開になった時の一服の清涼剤。「このステッキ今日買ってきたの」「ステッキー」……。

翼宿《たすき》が問題《もんだい》起こして みんな一言 「助《たす》きてーっ」
なぁぁぁんてね!!

◆翼宿（たすき）　簡単で単純で明快なキバぼーず（↑ by奎宿！）鬼宿とは似た者同士のいいコンビ。女系家族の中で育ったせいで激しい女嫌いに。何かと鬼宿にちょっかいを出しては怒られている。また、山育ちで泳げない彼は、北甲国への船旅ではいいとこナシだった。

「翼宿」はオレや
だましてすまんかったな

◆婁宿（たたら）　白虎七星士の一人。植物を自在に操る。白虎の巫女として本の中にやって来た大杉鈴乃と恋におち、白虎に二人が結ばれることを願うが、それは聞き届けられなかった。離ればなれになっても鈴乃を最期まで愛し続けた。

◆たま　軫宿が飼っていた猫。人語を解し、幻術にも強い。美朱たちのピンチを幾度となく救ってくれた。命名は美朱。鬼宿は自分と同じ名前だというのが気にいらず、顔が似ているんだから井宿にしろと主張。

◆鬼宿（たまほめ）　お金もうけに心血を注いでいるときは、お金に。美朱と出会ってからは美朱に。思い込んだら命懸け！

…美朱《みあか》は
どこだ

一つのものしか目に入らない直情径行クン。巫女は処女でなければならないと聞けばグッと我慢もできる、健気な17歳。

◆鬼宿の村　紅南国の倶東国の国境近くにある。

大中進学塾
2F
大中進学塾

◆大中進学塾　美朱が城南学園合格を目指して通っているなかなか厳しい塾。

◆井宿（ちちり）　自分の婚約者を奪った親友を殺してしまった過去をもつ。いつも仮面をつけ、飄々《ひょうひょう》としている私利私欲のない人。術は太一君のもとで3年間修行をして体得した。錫丈《しゃくじょう》、笠、マント、などで術を使える便利くん。口癖は「〜のだ」。

◆張宿（ちりこ）　とても賢く、七星士の中では、作戦参謀《さんぼう》としての役割を果たしていた。肝心な時には文字が消えてボーッとした子供になってしまうこともあったが、優しくて強い子だった。

◆張宿の巻物　太一君からもらった、神力が宿った巻物。美朱は朱雀を呼び出し巻物に青龍を封印した。

開神!!

◆塔の伝説　西廊国の大寺院の近くにある塔の上で、日が沈むと同時に唇を重ねあった男女は何があっても離れることはないという……美しいお話。うっとり。

◆奎宿（とかき）　白虎七星士の一人であり、鬼宿の格闘技の師匠。普段はナンパなエロジジイで奥さんの昴宿にやりこめられている。瞬間移動が得意技。

この白虎七星士 奎宿様の得意技だよ
さっきから いたさ
今のは平たく言やあ 瞬間移動でね

◆虚宿（とみて）　玄武七星士の一人。200年前に肉体は滅びているが、玄武の巫女への忠誠心が残留思念となり。神座宝を護っていた。16歳。身長173〜4cm。斗宿のことは生前から兄ように慕っていた。彼の「着ているものを全部脱げ」はモンダイ発言（？）。

◆氐宿（とも）　舞踏家の家で世話になった時に踊りを覚え、しばらくそれで生計を立てていた。心宿に対して恋愛感情をもっているので房宿とはちょっと仲が悪い。男色家だが女性の相手もOK。鬼宿にもちょっとそそられていたらしい（笑）。本名・出身地ともに不明。21歳。身長184cm・AB型。蜃を使った幻術を使う。

な行

◆ない　美朱の性別判断法。星宿が男だと聞いた美朱は、まず最初に星宿の胸を確認。その後、少華にあった時もいきなり胸を摑んでいた。まったく嫁入り前の娘が。

◆心宿（なかご）　冷酷無比な策略家、自分の野望のためには手段を選ばない。そんな彼だが作者の愛は一番深い。西方の異民族（濱《ヒン》族）出身。天涯孤独の25歳。身長193cm。気功術の使い手。

関所《せきしょ》の前《まえ》で 往生《おうじょう》している ところを 連《つ》れて参《まい》り ました
どひゃーっ 金髪《きんぱつ》超《ちょう》美形《びけい》!!

◆娘娘（ニャンニャン）　太一君とともに大極山に住んでいる女の子たち。人数は6〜7人いるようだ。みんなで一斉にしゃべるクセがある。彼女たちの役目は太一君のアシスタント。怪我をした美朱たちが大極山についた時も、彼女たちに着替えや治療をしてくれた。

◆柳宿（ぬりこ）　初登場時は女、その後、おかま、そして男と、まさに出世魚状態だった柳宿は超おいしいキャラ。死に方もカッコ良すぎ。女の子の気持ちがよく

わかって、男気もちゃんとあるという、ある種、理想的なバランスのこの人は作者の〝こうありたい姿〟の投影か。

◆柳宿の小手　力が必要になる時は太一君にもらった腕輪が小手に変形する。柳宿にしか使えないはずの武器だが、柳宿の死後も美朱を護ってくれた。

は行

◆媒介　たとえば、美朱の制服やリボンなど、現実の世界と本の中の世界のどちらにもあるもの。媒介を使って二つの世界を行き来できる。

◆ハリセン　翼宿の武器。太一君の神力で金剛石製になって、パワーアップ。さらに、翼宿の〝気〟でなくては烈火神焔《れっかしんえん》が出せなくなった。金剛石というとダイヤモンドのことだから、非常に高価。

◆斗宿（ひきつ）戦いの半ばで虚宿とともに死んでしまったが、その後200年も残留思念となって生き続けた。右目に「斗」の字が浮き出る彼は、クールな外見にアツいハートの持ち主。21歳。身長184㎝。

◆白虎廟　婁宿《たたら》が、鈴乃が残していった神座宝を護って住んでいたところ。その中では時間も進まない。

◆北甲国　玄武を守護神に崇める北の国。星宿が治める紅南国とは食文化も生活様式もまるで違う。現在のモンゴルのような暮らしぶりである。

◆星宿（ほとほり）自分の美しさを信じて疑わないナルシス君。また、鬼宿の生家に行った時に、あまりの貧乏さにショックを受けるなど意外と世間知らずな面も。しかし、若くして皇帝に就いたわりには奢《おご》ることもなく、民にも優しかったようである。

◆星宿の神剣　太一君から授かったパワーアップアイテム。北甲国へ旅立つ美朱に、星宿は自分の代わりにと神剣を渡した。この剣は、房宿の雷から美朱を護ってくれた。

◆本郷唯　美人で頭もいい美朱の自慢の親友。心宿に利用されて美朱と対立したが、最後は自分の命をかけて美朱を助けた。

◆ポラロイドカメラ　美朱がこちら側の世界から本の中へ戻る時に持ち込んだ文明の利器。北甲国へ旅立つ時に8枚写した。七星士みんなが1枚ずつ持っている。

◆忘却草　摩汗村に伝わる、飲めばそれまでの記憶を失う薬。飲む量を間違えると生死に関わる。

ま行

◆美朱のパンツ　転んだり、宙にういたり、服が破けたり、まあ、いろんな理由でよく見える。印象的だったのは、氏宿の幻覚と交わりそうになっていた時のパンツ。いつものパンツより明らかにおしゃれだったと思うのだが…。あれは、美朱の希望だけで成り立っている世界だったからなのだろうか。はて？

◆軫宿（みつかけ）気は優しくて力持ち（ちょっと違うか？）。いつもは無口だけど、きちんと仲間のことを見守っているという感じの彼。柳宿の死を認めたくない美朱に対して彼が語った言葉は、誰が言うよりも重みがあった。

◆軫宿の神水　北甲国へ旅立つ前に太一君からもらった。軫宿の治癒《ちゆ》力以上の力があると思われる。体の傷はもちろん服まで再生させることが可能。柳宿はこの神水のおかげで美しいまま天に逝《い》けた。

◆箕宿（みぼし）老人らしいが年齢不詳。妖魔を操る邪法使い。西廊国の大寺院法王におさまっている。鬼宿の人格を変えた薬を作ったのはこいつ。みんなのマスコット・張宿を殺したのもこいつ。

や行

◆夕城奎介　美朱の兄。母親の期待に応えようとする妹を心配している妹思いの大学生。中国哲学を専攻している。美朱が本の中に入っていった後、「四神天地書」の謎を探ってくれた。

◆夕城美朱　受験勉強に追われる普通の中学3年生だったが「四神天地書」を開いたことで本の中に吸いこまれ朱雀の巫女に。明るくて頑張り屋で、食べ物には弱くて、これといった取り柄もなさそうだが、意外と美朱は記憶力が優れていたのだった。だから、あの土壇場でも、一度しか読んだことのない朱雀招喚の呪文を言えたのだ。

◆指輪　美朱と鬼宿は、夏に美朱が露店で買った指輪をお互いの指にはめて結婚式の代わりにした。

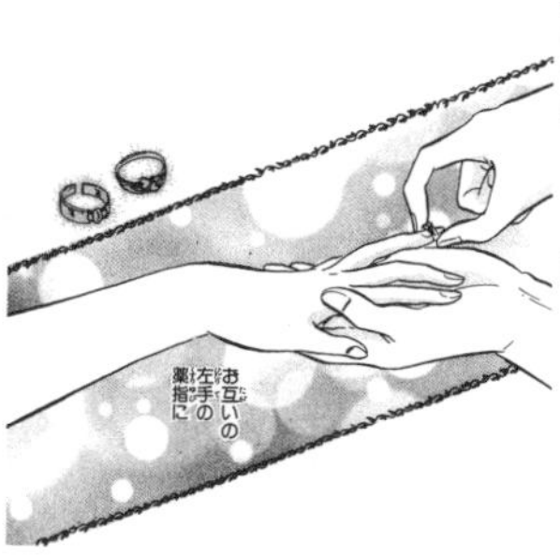

わ行

◆四ツ葉台高校　もともとの美朱の第一志望校。唯も美朱も一緒にこの学校に通っている。

◆わざと　翼宿が鬼宿を烈火神焔で焼いてしまった時にきまって言う言い訳。「ごめん。わざとやってん」好きだからいじめてるのか、翼宿？

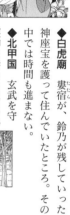

構成◈山岡有子
執筆構成協力◈田中久美子
デザイン◈佐々木多利爾　ＩＳＴＶＡＮ
カバー原画◈本橋秀之
撮影◈三田部勉
セル画協力◈スタジオぴえろ
パッケージイラスト◈北山真理

渡瀬悠宇イラスト集　PART 2

ふしぎ遊戯アニメーションワールド

1996年２月20日　初版第１刷発行
1996年３月20日　　　第２刷発行

著者◈渡瀬悠宇
発行者◈千葉和治
発行所◈株式会社小学館

〒101-01東京都千代田区一ツ橋2-3-1
編集　(03)3230-5485
制作　(03)3230-5333
販売　(03)3230-5739
振替　00180-1-200
印刷◉共同印刷株式会社
©渡瀬悠宇 1996 Printed in Japan
©渡瀬悠宇／小学館・テレビ東京・スタジオぴえろ
ISBN4-09-199702-3

造本には十分注意しておりますが、万一、落丁、乱丁などの不良品がございましたら
「制作部」あてにお送り下さい。送料小社負担にて、おとりかえいたします。
本書の一部あるいは全部を無断で複製、
転載、上演、放送等をすることは、法律で認められた場合を除き、著作権および出版社の権利の侵害となります。
あらかじめ小社に許諾をお求めください。
Ⓡ〈日本複写権センター委託出版物〉
本書の一部または全部を無断で複写（コピー）することは、
著作権法上での例外を除き禁じられています。本書からの複写を希望される場合は、
日本複写権センター（TEL03-3401-2382）へご連絡ください。